伝え方が9割

コピーライター
佐々木圭一

ダイヤモンド社

伝え方が9割

はじめに

伝え方にはシンプルな技術がある

たとえば、好きな人がいるとします。でもその人は、あなたに少しも興味がないとき、何と言ってデートに誘いますか？

「デートしてください」

こう言ってみました。
あなたのピュアな気持ちそのままですね。これだと断られる確率が高いですよね。ですが、コトバ次第で結果

を変えることができます。

「驚くほど旨いパスタの店があるのだけど、行かない？」

こう言ってみました。

相手は行っていいかも、と思う確率がぐんと上がるコトバです。どちらにしても、実は「デートしませんか？」という同じ内容なのです。

事実、私のアドバイスさせていただいた社会人の方、学生の方、中には何年も誘えなかった方が、このコトバで見事デートを成立させています。

もうひとつ。レポートが期限内につくれません。延期してもらえるようにどう頼みますか？

「レポートの提出、延期してください」

こう言ってみました。

あなたの頭の中そのままです。これも、延期はしてくれないでしょう。なぜなら期限はお互いで決めた約束ですから。延期してくれたとしてもあなたの評価は下がりますよね。ですが、コトバ次第で結果を変えることができます。

「クオリティ上げたいので、粘ることできませんか？」

こうすると、延期してもらえる確率がぐんと上がりますよね。がんばり屋さんという評価までついてくるかもしれません。あらためて両方のコトバを見てみてください。どちらにしても「延期してください」という同じ内容なのです。

同じ内容なのに、伝え方で結果が変わってしまう。これは驚くべきことと思うかもしれません。ですが、あなたは今までの人生で、「伝え方で変わるのでは？」と、うすうす気づいているのではない

伝え方が9割

でしょうか。あなたはこうも思っているかもしれません。

「うまい伝え方は、会話の得意な才能のある人だからできるのだ」

かつて私もそう思っていました。

私は人生のある時期まで、とにかくコミュニケーションがへたでした。幼少のころから転校が多く、その土地での話し方、遊び方に慣れることができず、いつも浮いた存在でした。浮いていた私は、どうやったら自分の存在感を消すかということに集中しました。発言は少なく、なるべく目立たないように自主トレーニングした（笑）結果、たとえ好意でいじられても黙っていることしかできない少年としてすくすく育ちました。自分を表現することが苦手だった私は、文章を書くことも苦手でした。日記を書こうとまでは思ったのですが、日記帳の数ページ後は常にまっ白。手紙を書くのも苦手。私が学生時代に書いたものと言えば、先輩のレポートを写して、語尾の「〜です」を「〜だ」に書き換えたりしているだけの、才能とはほど遠いものでした。そもそも文章を書くことが苦痛でした。

そんな私が、大量入社した中で、たまたまコピーライターに配属となりました。私自身、決まったときに「？？？」と思ったし、軽いパニックになりました。会社が「こいつは、内に秘めたる何かがある」と優良（？）誤認してくれていたのか。配属後の数年で異動があるため、会社も比較的おおらかに決めたのでしょう。

モノを伝えるのが仕事の、コピーライターという肩書をもった私。人生の本当の辛さはここからでした。本当に辛かったです。

まず、文章の書き方を知らない。漢字もろくに書けない。伝え方、書き方すべてを否定されました。「ムダなことを書くのに紙を使うのは環境破壊だ！」とも言われました。それもそうです。本当にできなかったから。

「……自分には才能がない」毎日のように思い悩みました。コトバは才能で決まると思っていた私は、途方にくれていました。一方で、同じころに入社した人たちはどんどんいい仕事をしてゆく。自分ができないことの恥ずかしさと嫉妬で、人と目を合わせることすらできませんでした。睡眠時間は少なく、精神的にもつかれ果て、終電の窓に映る私の目は、「電車内サラリーマン対抗！　にごった目選手権」があっ

たなら、圧勝できるほどになっていました。ストレスで過食になり、1年で10キロ太りアゴもなくなりました。想像できますか？　カラダが15％重くなったのです。もし1日1枚の写真を撮ってぱらぱらマンガをつないだら、ちょっとしたオモシロ映像になったでしょう。

この本を書こうと思ったのは、そんな私でも伝え方の技術を知り、身につけることができるという生の経験をしたからです。もがきながら膨大な量の名作のコトバを見て、考え、試行錯誤の末、発見したのです。

「伝え方にはシンプルな技術がある」
「感動的なコトバは、つくることができる」

ここから、私の人生が変わりました。徐々に変わったというのではなく、突然変わったのです。国内のコピーライターの賞をいただいたのをはじめ、日本人コピーライターで初めて米国広告賞で金賞、アジアの広告賞でグランプリになるなど、はるか遠くに見えた賞が面白いように手に入るようになりました。コトバを気に入ってくれた、ケミストリーさんや郷ひろみさんのプロデューサーたちから作詞のオファーがきて、アルバムがオリコン1位になったり、日本人クリエイター初、スティーブ・ジョブズのおかかえクリエイティブエージェンシーへの留学生にも選ばれました。大学や各種講演に呼ばれるようになり、アドバイスさせていただいた方々から

「人生のこのタイミングで知ったことに感謝です」
「あの時、もっと言い方を変えておけばと思うことをいくつも思い出しました」
「好きな人がいます。デートに誘う勇気がなかったけど、佐々木さんから学んだコトバで一歩踏み出そうという気持ちになれました」

そんなうれしいコトバをいただけるようになりました。それもすべて、伝え方の技術を見つけたことがはじまりです。

確かに、この世には生まれながらにして鮮やかなコトバを言える人がいます。しかしそのコ

トバでさえ、どうやったらつくれるかを説明でき、誰でも再現できる方法があることを見つけました。ルービックキューブを瞬く間に解いてしまう天才がいますが、実は解説書に沿ってキューブを回せば小学生でも解けてしまうように。

厳しい時代です。就職や昇進だって合否がわかれます。では決まった人が100点で、決まらない人が0点の人間かというと、断じてそうではありません。同じ人間として生まれ、笑い、泣き、同じ年月を生きてきたその差は80点と、79・5点の差でしかないと私は思います。でも企業は選ばなくてはいけないから、結果「イエス」と「ノー」にわかれてしまうのです。では、その差は何でしょう？　その9割をしめるのが、伝え方だと私は思います。

これからも生きていく中で、いくつもの岐路があります。そこで、**あなたの「ノー」をひとつでも多く「イエス」に変えられたら。**

ここでお断りがあります。この本は正しく、美しい日本語を学ぶための本ではありません。本文中でもあえて日本語としての間違いや、学校ならしかられてしまうような常識はずれな書き方／伝え方が出てきます。この本は、人の心に届く伝え方を学び、身につけることでビジネス、人生で成功したい人のための本です。

紹介していく方法の中には、まったく新しいと感じる方法と、既に自分の経験の中でやっている方法もあるでしょう。新しい方法は身につけていただき、自分の「技術」のひとつにしてください。既にやっている方法は、いつでも「技術」として使えるように頭の中で整理していただければ。

私は普通の人よりも伝え方がへたくそだったからこそ、生き延びるために十数年かけて、ひとつひとつ発見し、誰でもコトバをつくれるよう体系化しました。あなたも自分の日常から、試行錯誤の上で伝え方の技術を身につけることもできますが、それだと辿り着くまでに十数年かかってしまいます。効率がよくない。この本を読めば、私のように回り道をしなくても魅力的なコトバを最短でつくれるよう構成してあります。**私が膨大な時間とトライ&エラーで導き出した方法論を整理しました。この本は最短距離で、あなたのコトバ／伝え方を磨くためのガイドだと思ってください。**そこに、あなたの経験や工夫を加えることができれば、さらに圧倒的な人生を切り開く力となるでしょう。

前置きはこのくらいにして、伝え方の技術とはどういうものか、最短で身につける方法を、詳しく説明していきます。

伝え方が9割・もくじ

第1章 伝え方にも技術があった！

第2章

「ノー」を「イエス」に変える技術

第3章 「強いコトバ」をつくる技術

あなたの宝の地図を見つけよう

第1章

伝え方にも技術があった！

――なぜ同じ内容なのに、伝え方で「イエス」「ノー」が変わるのか？

確率0%を、アリに変える!

——すべてのことで可能性が増えれば、人生は変わる

「この領収書、おとせますか?」

使える経費が満足とは言えない今、これほどオフィスで緊張感の走るコトバも少ないでしょう。一瞬かるい電流が走ったような。横に座る人も振り向きます。

そして事務のお姉さんは、あなたに目を合わせることなく無表情に言うでしょう。

「それはおとせません」と。

なにがいけなかったのでしょう。あなたが誰と飲んだかわからない領収書を持ってきたから？　それもあるかもしれません。ですが、通すのにふさわしいコトバを言わなかったことに問題があるのです。

では、こう言ってみたらどうでしょう？

「いつもありがとう、山田さん。この領収書、おとせますか？」

たったこれだけの差で、成功率が上がります。理由が2つあります。

なぜなら、**「ありがとう」と感謝するコトバに、人は否定をしにくいから**です。これは、人間が生まれ持った本能で、自分を認めてくれる人のことを「サポートしたい」という意識が生まれるのです。

さらになぜなら、**「山田さん」と名前を言われると、人は応えたくなるから**です。これにより、山田さんは「この私」に対して感謝していると感じ、あなたのことをちょっと身近に感じます。人は、関係ない人には断りやすいですが、近い人には断りにくいですよね。

もちろん必ずＯＫが出るわけではありません。ですが、今まで０％だったものが、いくらかでもアリになれば、人生は明らかに変わります。認められなかったものが認められるようになります。受からなかったものが受かるようになります。

就職活動で、プレゼンで、好きな人への告白で、友達へのお願いで。

それら全て、伝え方で成否が変わるものです。面接なんてまさにそうです。面接会場で自分の人生を生で見せることはできませんから、伝え方だけであなたのことを判断されるのです。**人生は、小さなものから大きなものまで、伝え方で変わります。**しかも人生の節目になるような、重要なポイントになればなるほど、伝え方がダイレクトに結果にむすびつくのです。

大切だとわかっているのに、誰も鍛えていない「伝え方」

——学校では教えてくれなかったこと。でも手に入れると人生の決めどころでスマッシュを打てる

そもそも、伝え方というのは、鍛えることができるのでしょうか？

学校でも教えてもらったことはないですし、参考書もありません。一方で、明らかに伝え方がうまい人とへたな人がいるのは事実です。友達にも、伝え方がうまい人と、そうではない人、いますよね？　うまい人はどこかで学んだわけでもありません。生きてきた環境により、長い間の経験として身についたのです。経験から身についてきたということが周知のことであるがゆえに、伝え方を「学べる」もしくは「鍛えられる」という発想は世の中にほとんどないのが

事実。伝え方は経験やセンスによるもので、手応えを持って身につけることができないものとされてきました。

あらためて。伝え方というのは、鍛えることができるのでしょうか？

その質問に、私は胸を張って「イエス」と答えます。自分自身ができたという実体験からと、大学で行っている社会人講座にて受講されている方々が、驚くほどの変化をすることを目の当たりにしているからです。

人生の重要なシーンで成否をわけることなのに、誰も鍛えていない。もしくは「伝え方は鍛えられる」ことさえも知らない。一方で気づいた方にはとんでもなく大きなチャンスです。

その状態は、温泉のピンポンに似ています。仲間で温泉に行き、そこに台があればなんとなく触ってみるもの。誰でもピンポンはできますよね。

たいていそこに一人は経験者がいて、にわかに人気者になったりするものです。うまい方とそれ以外の方で何が違うかというと、コツを知っているかいないかが大きいです。「ラケットはぎゅっと握らず、リラックスしながらも鋭く振り抜く」「打つ方向を見るのではなく、打つ瞬間までボールを見る」。その2点を知るだけで、今この場で球筋がガラリと変わります。学ぶ人も珍しいと思いますが、３日間も学べば別人になります。

伝え方も同じなのです。誰でも話すこと／書くことはできます。でも、コツを知っているかどうかで勢いも、美しさも、別モノになります。

世の中大勢の伝え方は、温泉でお気軽ピンポンをやっているレベルです。つながるし、一応ピンポンにはなっている。その状態をチャンスととらえ、あなたがコツを身につけることで、温泉のピンポンとは明らかに一線を画すことができます。周りの見る目も、評価も変わります。もちろん誰でもまぐれ当たりで、１球だけ凄いスマッシュを決めることもできます。ですがこの本のめざすところは、狙って、毎回打てる人になることです。**人生の決めどころで、狙ってスマッシュを打てるようになる。**しかもそれは、現実にできることなのです。今こそ学ぶチャンスです。他の人はまだそこに気づいていません。

伝えることが苦手だった私

――コミュニケーションで悩み抜き、結果として突破に至るまでの道のり

このような本を書いていると、もともと私は伝え方がうまかったのでは？　と思われるかもしれません。それがまるで逆なのです。

私は転校生でした。父の仕事で引っ越しばかり。つねに、転校先で「変わったのが来た」という目で見られていました。違うアクセントで話す少年は、話すたびに好奇の目で見られ、いつしか人と話すことが嫌いになっていました。家でひとりゲームをしながら、でも一方で、人にうまく話せるようになりたいという願望でつぶされそうになっていました。

告白しますが、今でも思い通り人に伝えられたときは、恥ずかしながら感動で目頭が熱くなります。それは青春期の「うまく伝えられない」ことへのトラウマがそうさせているのではないかと思います。

伝えるのが苦手な私は、理数系に進みます。数字は、伝え方と関係ないからそちらのほうが

ラクだったのです。でもそんな青春時代を送りながら、「人にもっと上手に伝えられるようになりたい」という気持ちをおさえられなくなりました。大学で機械工学を勉強していたという意外性が面白がられて、大手広告会社に入社することになります。面接では言いませんでしたが、私が広告をめざした本当の理由は、伝えることが上手になりたかったからです。

そして、なんの間違いか、こともあろうにコピーライターとして配属されたのでした。私は、その職種には最もふさわしくない人だったでしょう。もともと伝えるのが苦手なうえに、それを仕事にすることとなったのです。お酒が飲めないのに、バーテンダーになったようなものです。蕎麦アレルギーなのに、蕎麦屋をはじめたようなものです。

でもコピーライターという名刺をもらったときは、胸がじわっと熱くなるような、そんな感動を覚えました。書くことが苦手な人間でも、巡り合わせでなんとかなるのだと。名刺を両手に持って見ているだけで、幸せでした。しかし、それは悪夢がはじまる前の、素敵な世界だけが描かれた序章でしかありませんでした。実際に仕事をしはじめて、あまりの文章のへたさで上司をはじめ、周りの人を驚かせました。まず、漢字が書けない。「博」の右上に点があるかどうかわからないくらい書けない。**その当時、日本でもっとも漢字の書けないコピーライターだった**と思います。何時間も考えてきたコピーを1分くらいでボツにされ、やり直しつづける毎日。名刺の肩書と、実際の自分のあまりのギャップに本気で悩みました。社会での自分の無価値さを痛感しました。

苦手なものを毎日やりつづけるというストレスで、過食に。食べ物にやすらぎをもとめ、自分でも気づかないうちに夜中に起きだして冷蔵庫をあけてプリンを食べていました。それも翌朝、まったく覚えていないのです。「楽しみにしていたプリンがない！　誰か食べた⁉」と声に出して、行方を捜していました。

その結果が、一年で10キロの体重増。

小太りになって、こころなしか汗をかきやすくなった私は、じっと鏡を見ながら思いました。「人生、まちがえてしまったのではないか……」

この本を書こうと思ったのは、そんな私でも伝え方の技術を知り、身につけることができるという生の経験をしたからです。

「伝え方に技術がある！」と気づいたできごと

——伝え方が苦手だったからこそ気づき、技術として体系化できたこと

小太りになった私は、もがきながらも道を探していました。いいコトバが集まっていると言われる詩集、書籍、名作コピー集を読みあさりました。心を打つコトバ、感動的なコトバに出会うたびに、ノートに書き写しました。くる日もくる日も、読み続け、書き写していると、気になることが出てきました。

「あれ、このコトバとこのコトバ似てるな」

と感じることがありました。単語が似ているのではなく、コトバの構造が似ているなと。もし

かしたら法則があるのではないか？という仮説が生まれました。例えば、わたしの心を動かしたコトバで

「考えるな、感じろ」　燃えよドラゴン
「死ぬことに意味を持つな。生きるんだ！」　3年B組金八先生
「ちっちゃな本が、でかいこと言うじゃないか」　講談社文庫の広告
「別れることがなければ、めぐり逢うこともできない」　西洋のことわざ
「マフィアが少年聖歌隊に見えるほどの巨悪組織」　ピーター・セラーズ（ピンクパンサー）
「事件は会議室で起きてるんじゃない！　現場で起きてるんだ‼」　踊る大捜査線

は似ているなと感じたのです。一見、まったく違いますよね。単語はひとつも同じではありません。だけど、構造が似ていると感じたのです。どれも、正反対のコトバを使っている。

考える⟷感じる
死ぬ⟷生きる

ちっちゃな↔でかい
別れる↔めぐり逢う
マフィア↔少年聖歌隊
会議室↔現場

はじめ、気のせいかなと思っていました。しかし、ただ偶然の一致にしては、見事にそろいすぎている。その奥に、明らかに何かがあるという宝物のにおいのようなものをビンビンに感じていました。すべてが正反対のコトバを偶然ではなく、あえて使っているのではないか？

「考えるな、感じろ」

別に「感じろ」だけでも、同じ意味が伝わるのになぜ正反対の「考えるな」とあえて言っているのか？　たまたまか？

「事件は会議室で起きてるんじゃない！　現場で起きてるんだ!!」

別に「事件は現場で起きてるんだ!!」だけでも伝わるのに、なぜ正反対の「会議室」とあえて言っているのか？　たまたまか？

――いや、たまたまではない。正反対のコトバを効果的に使えば、心を動かすコトバになる！これは応用ができる！

あいまいだった仮説が、膨大な量のコトバを見ていくうちに確信に変わっていきました。

「心を動かすコトバには、法則がある」

私の鼻息が荒くなっていたのは、小太りだったからだけではありません。私ははじめ、いいコトバは、天から舞い降りて来るひらめきが必要だと思っていました。でもひらめきやセンスによらず、強いコトバをつくれる法則の切れ端を発見したのです。

そこからの毎日は、**見つけた法則の切れ端をもとに宝の発掘でした。**これまで脈絡がないと思っていたコトバ／伝え方が、有機的につながりはじめました。バラバラにしか見えなかった夜空の星が、つながって星座として見えるような。ときどき鳥肌が立ったのを覚えています。この世の神秘を知ってしまったような不思議な感覚でした。昨日の同じコトバが、まったく違うコトバに見えるようになりました。

そこから、数々のコトバ／広告の賞をいただくようになりました。日本人コピーライターとして初めて米国の広告賞で金賞をいただくなど、51の国内、海外の賞を積み重ねることになります。私のコトバを気に入ってくれた音楽プロデューサーから作詞の依頼が来たり、そのアルバムがオリコンで1位になったり、大学の講師に誘われたりするようになりました。変化は、徐々に起こったのではありません。一気に身のまわりが変わったのです。伝え方の技術を身につけたことによって。

もしかしたら、この本に書かれている技術は、教えられなくても自分の経験の中で、発見し既にやっている方もいらっしゃると思います。既にやっている人にとっては自身の技術を再確認できるように。やっていない人には、手順に沿えばすぐに使えるように体系だてました。

料理本のレシピのように、その手順通りにつくれば、プロに近い味を出せるコトバのつくり方です。 もちろん同じ料理でも作り手で多少味が変わりますが、自分でその味を一から生み出すことに比べたら、数段飛びで実現できるのです。

心を動かすコトバはつくれる。
料理のレシピのように。

いちど知れば、伝え方は一生あなたの武器になる

――使えば使うほど磨かれ、鋭くなる伝え方の剣

例えば、フラフープ選手権で優勝したとします。素晴らしいことです。でも、日常生活でフラフープを使うわけではないから、なかなか会社や友達の前でそれを使えるチャンスはありません。例えば、円周率を１００桁覚えたとします。その暗記力を尊敬します。しかし円周率をそこまでの正確さで使うことは人生で何度もないでしょう。

一方で、伝え方をあなたが学んだとしたらどうでしょう？　あなたが誰かと話す次のコトバから変化を起こすことができます。送る次のメールから変えることができます。ものすごいそばで、たった今から使えるのです。この本のレシピに従ってコトバをつくれば、いきなり誰でも一定レベルのコトバがつくれるようになります。

注意してほしいのは、はじめは意識してつくることです。はじめてつくる料理のように、ま

ずはレシピ本の通りに手順を追ってつくることを覚えてください。2回目、3回目とつみ重ねるとそれが無意識につくれるときが必ずやってきます。計らなくても塩の量がわかるようになるのと同じように、コトバも意識しないで自然につくれるようになります。とにかく、はじめは面倒くさく感じることがあったとしても、信じて1週間意識して使ってみてください。

まずは、基本を身につける。その後は自分の工夫で、あなたらしい料理に変えていきましょう。アレンジの仕方もあなた独自のものができてくるでしょう。使えば使うほど磨いていくことができ、鋭くなっていくのが伝え方なのです。その腕は、**料理をやめない限り、人とコミュニケーションをすることをやめない限り、あなたの一生の武器となります。**

どんな資格より、まず伝え方を学べ

――就職でも、昇進でも、あなたを最後まで守ってくれるのは、伝え方

同じ大学卒業で、同じ勉強をしてきた人なのに、就職試験で受かる人と落ちる人がいるのは、なぜでしょう？　同じだけ学費を払い、同じだけ教室にいたのに。その理由は、明快です。その本人をどう伝えたかの違いです。

資格を取得する方がふえたとも聞きます。資格は確かに、目に見える武器として役立つものです。私も資格を持っていますし、その恩恵も受けてきました。ですが、それが全てとは思わないでほしいのです。数々の資格を持っているのに、なぜ就職が決まらない人がいるのか？　昇進しない人がいるのか？　それは、資格以上に、会社にとって大事に思う何かがあったということです。思わず人は目に見える資格ばかりを磨きたがりますが、私からすれば、それは10％でしかありません。のこりの90％は、あなた自身を魅力的に伝えられる、伝え方やコトバ

です。それは、見せかけることとは違います。**伝え方やコトバの技術を持っている人は、働いても成果を出せるのです。**そのことを忘れないでください。

人は目に見えるものばかり手をつけたがるから、どうしても資格にばかり気がいってしまうのはわかります。ですが、どちらかというと、伝え方のほうこそ差がつくのです。

しかも、資格は多くの人がそれなりに持っているのに対して、伝え方は学んだことがない人がほとんど。勝負はほぼ伝え方やコトバで決まると思っていいでしょう。

個人発信力が求められている時代

――お店オススメより、バイトのゆっき～オススメが求められる

例えば、あなたが新しいスマホを買おうと思っているとします。そのときに誰の情報を重要視しますか？

前は「テレビCMでやっているから」というだけで人が買っていた時代もありました。でも今は、テレビのCMはきっかけになると思いますが、実際に買うことを考えたら、使っている友人に「実際使ってみてどうなの？」と話を聞いて判断しますよね。企業のWEBサイトだけじゃなく、使用した人がいい点もそうでない点も赤裸裸に評価を書き込む価格サイトなどを見るという文化もできました。

この現代ほど、個人発信が力をもった時代もかつてありません。変化を一番実感しているのはあなた自身ではないでしょうか。あなたは今まで受け手だったのが、とつぜん発信者になったのです。

この変化には2つ理由があります。**「組織へのうたがい」**と**「情報の洪水」**です。「組織へのうたがい」は、企業や政府などの組織はいいことしか言ってないのではないかと疑うきもちです。震災での政府や一部企業の対応も「組織は信じられない」という世の中の空気に拍車をかけました。人はどんどん裏読みをするようになり、「企業が語ることを、そのまま信じないぞ」

お店のオススメより「特定できる個人のコトバ」のほうが強い！

「鹿児島農協のかぼちゃ」
ではなく
「福留数幸さんのかぼちゃ」

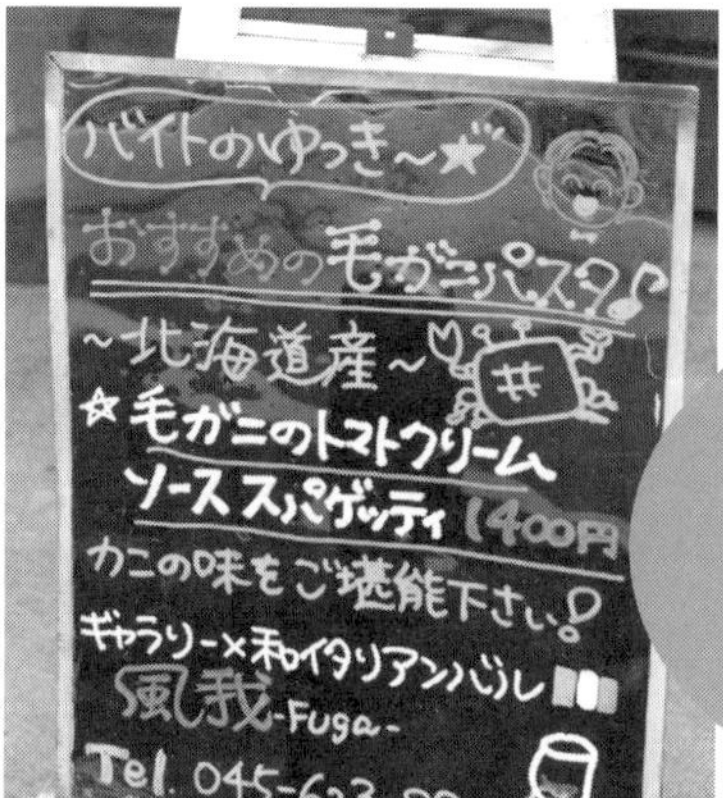

「お店が
オススメの毛ガニ」
ではなく、
「バイトのゆっき～
オススメの毛ガニ」

という空気が世の中にできました。

「情報の洪水」は、WEBの普及により、あまりにも情報が増え、人が処理できる量を超えてしまったことをさします。人は自分の周りにあるすべての情報を追うことができなくなりました。そこで、知っている人／特定できる個人のコトバ以外をシャットアウトする状況になったのです。

スーパーの野菜を見てください。生産農家の個人名を頻繁に記入するようになりました。

「鹿児島農協のかぼちゃ」ではなく「福留数幸さんのかぼちゃ」を世の中は求めるようになったのです。

レストランの店頭を見てください。バイトの個人のオススメ文章が出ています。

「お店がおススメの毛ガニ」ではなく、

「バイトのゆっき～おススメの毛ガニ」を世の中は求めているのです。

個人の発信が効く時代はすでにはじまっています。あなたは、いま誰も知らない黄金の毛ガニがいっぱいいる秘密の場所を知ったのです。さあ、毛ガニをとりにいきましょう。

コトバの一般常識にサヨナラ

――正しい言葉づかい、教科書の国語は実践で役に立たない

「愛している」
「愛してる」

この2つのコトバを見てください。国語として正しいのは、「愛している」です。「愛してる」は「い」が抜けている口語で、教科書的には正しくありません。旧来からの日本語を大切にしている方々には怒られてしまうことを、これから言います。

この本での、正解は「愛してる」です。

それは、こちらのほうが相手の心に届くからです。心から大切に思う相手にそっと「愛して

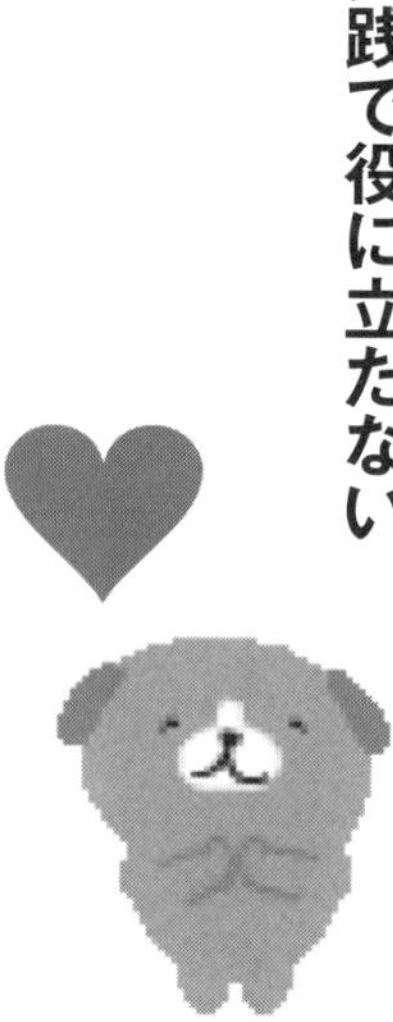

いる」と言ってみたとします。どこかまどろっこしくて、ちょっと教科書的で、本当のきもちが届かない感じがします。きもちを伝えるのには「い」という一文字が余計なのです。一方で「愛してる」と言うと、すっと届きます。

コトバはもともと相手に届けるために作られたもの。どれだけ正しくても、届かなければ役割を果たしません。古き良き言葉を守る、ということを続けることはカンタンではありませんし、そんな方を私は尊敬します。でも言語というのは、変化しつづけるものです。現に平安時代にだって「最近の男女は、コトバづかいがあやしい！」と清少納言が枕草子にて嘆いています。言語は歴史がそうしてきたように、これからも変化しつづけるでしょう。

どのコトバが教科書的に正しいか、という議論をこの本ではしません。**どのコトバが相手の心に響くかという1点に絞って話をすすめます**。そして、あなた自身コトバを敏感に肌で感じてほしいのです。コトバはあなたが思っているより、もっと自由です。

ほとんどすべての人が自己流。つまり学べば突出できる

――個人発信の今こそ学ぶチャンス。他の人はまだ気づいていない

「気持ちをうまく伝えられない」
「自分の意図とは違うように伝わってしまう」
「本当はすごく感動しているのに、ただ『楽しかった』としか言えない」

そんな相談をうけます。私もかつてそうだったように、世の中の誰もが同じような悩みを持っています。本人としては、つい最近ではなく何年間も悩みつづけたこと。それぞれの生きている中でトライ&エラーをして、何年かの間に、少しずつレベルアップをしているはずです。

私がおすすめしたいのは、専門家に学んで、一気にレベルを引き上げてしまうことです。ゴルフも、野原で自己流の打ちっぱなしをして試行錯誤するより、まずはプロに学んでしまえば

専門家に学んで、一気にレベルを引き上げてしまえばいい！

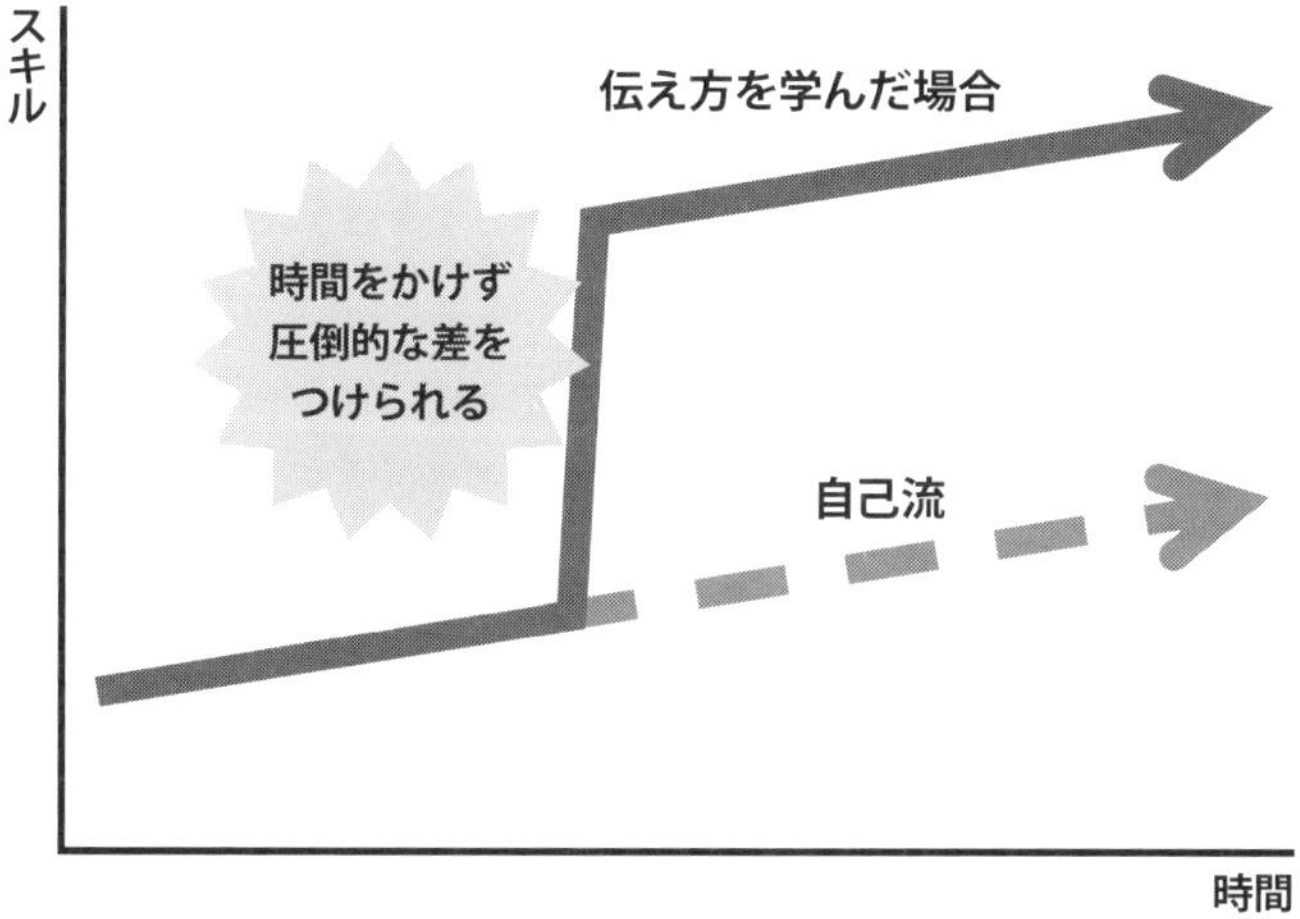

いきなりレベルが上がります。パソコンも自分で一から調べてやるより、できる人に学べば関係ないところで悩んで時間を浪費しなくてすみます。語学でも、なんでもそうです。しかし、今まで「伝え方」だけは、学ぶことをしてきませんでした。

学べることを知らない世の中一般。そして、学べることを知ったあなた。さあ、新しい森を探検するような気持ちで、すすんでいきましょう。自分のコトバが変わる感覚を、あなた自身で実感してください。

実は、伝え方は学べる。
それを知っている人は
少ない。

第1章 まとめ

● 0%だったものが、アリになれば人生は変わる。

● 伝え方は大切だとわかっているのに、誰も鍛えていない。今こそ学ぶチャンス。

● 伝え方には、技術がある。

● 資格では差がつかない。伝え方で差がつく。

● 個人発信が求められる時代になった。

● 教科書で正しいコトバと、実践で効くコトバは違う。

● プロに学べば、時間を短縮できる。

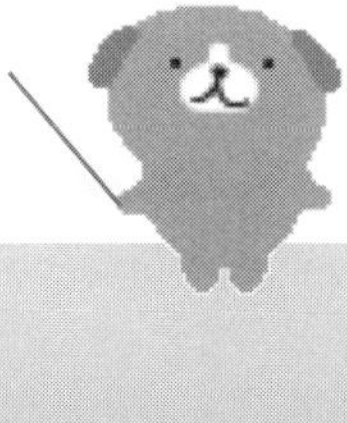

第2章

「ノー」を「イエス」に変える技術

――あなたがこれからする頼みごとに「イエス！」をもらう具体的な技術

コトバは「思いつく」のではなく「つくる」ことができる

——誰にでもつくれる方法がある。一般公開されていなかっただけ

コトバというのは、頭に浮かんで口に出したり、文章にしたりします。その時間はほぼ同時です。だから一般には、コトバは思いつくものだと思われています。頭のよさ、センスによりコトバが変わると認識されているのです。

私は、コトバを「つくる」ことをしています。いつもではありませんが、ここぞという重要なポイントでは、頭に浮かんでから、人に伝えるまでにある一定の時間をとってコトバをつくっているのです。

コピーライターとして、毎日のコトバを生み出す仕事を「思いつき」でやっていたら、あるときは100点のものを生み出せたとしても、あるときは20点にもなりかねません。世の中に出て確実に人の心を動かす90点以上を毎回達成するには、思いつきやひらめきに頼ることはあ

まりにもリスクが高すぎるのです。今日は調子いいけど、明日はわからないではプロと言えません。ミシュランガイドで世界一多くの☆を持つフランス料理、ロブションでも、徹底的なレシピがあります。料理長がつくっても、そうでないシェフがつくってもプロとして同じ味が出るようにしているのです。決してその場のひらめきや勘に頼って、味にばらつきを出さないのです。

では、**いよいよコトバの黄金レシピを公開します。**

結果を変える「お願い」コトバのつくり方

第2章は、**「ノー」を「イエス」に変える、お願いコトバのつくり方**について知っていただきます。調べてみたのですが、人は1日に頼みごとを平均22回しています。


「目玉焼きは半熟にしてください」

「ミーティングを1時からにずらせませんか？」

「いっしょにランチに行きませんか？」

「領収書おとしてください」

「今日中に資料を完成させてください」


などなど。「イエス」をもらえることもありますが「ノー」になることもあります。さらに、人生での大切なポイントでもするのは、やはりお願いです。


「デートしてください」

「御社が第一志望です（入社させてください）」

「契約してください」

「結婚してください」

などなど。こういう勝負どころでは多くの人が、コトバを選ばずにストレートに思ったそのままを言うことで成功と失敗をしています。運任せとも言えます。**その大切なお願いを相手の気まぐれ次第にしないで、あなたのお願いのしかたで「イエス」の確率を上げるのが、この章の目的です。**

コトバには困難を逆転させるチカラがあります。今までもらっていた「ノー」を「イエス」に変えましょう。

この本でお伝えしたいことは、単にコトバが上手になることだけではありません。**あなたの人生を前に進ませたり、夢をかなえる鍵を手に入れていただきたい**のです。一人でも多くの方々が自分の夢を実現させることができたら、私がここで発掘してきたお宝を公開する意味があります。

「イエス」に変える3つのステップ

「ノー」となるはずだったお願いを「イエス」に変えるには、カンタンな3つのステップがあります。100％いつでも「イエス」となるわけではありません。ですが、どんなお願いであったとしても、この3つのステップを踏むことで「イエス」をもらう可能性を上げることができます。読んですぐに使えるので、ぜひ使ってみてください。

「ノー」を「イエス」に変える技術

ステップ1

自分の頭の中をそのままコトバにしない

自分の求めること、頭の中に浮かんだことをそのまま口にしてきたのが今までです。

ストレートに自分の思いを伝えることで、うまくいくことも世の中にはあります。ただ、うまくいかないことも同様にあります。考えたうえで、ストレートに言うのが最も「イエス」をもらえると判断したときはいいです。しかし、なんでもかんでもストレートに言うのは、バクチと一緒です。もしかしたら人生を左右するかもしれない大切な場面で、白か黒かのルーレットに任せてしまっていいのでしょうか？　可能性が50％なら、その可能性を少しでも上げたいですよね。それを、コトバはできるのです。

今まで「ノー」だったものを「イエス」に変えるには、今までの方法をやめてみましょう。**まずステップ1では、頭で思ったことをそのまま口にするのはやめること**です。

ステップ１
デートしてほしい
デートしてください

「ノー」を「イエス」に変える技術

ステップ 2

相手の頭の中を想像する

ぐっと、そのまま口にするのをこらえ、**お願いに相手がどう考えるか／ふだん相手は何を考えているか、相手の頭の中を想像します。**

たとえば、「デートしてほしい」とあなたが思ったとします。仮にそう言ったとして、相手がどう思うかを想像するのです。「イエス」となりそうならそのまま思った通り話してしまえばいいです。

一方で「ノー」になりそうだとします。そのまま口に出し

ステップ 2
デートしてほしい
× 興味ない人とデートしたくない
○ 初めてのものが好き
○ イタリアンが好き

たらデートはしてもらえない可能性が高いですよね。ここからがあなたに知っていただきたい技術です。

いったんあなたのお願いから離れて、相手の頭の中を想像します。何が好きか？ 何がキライか？ どんな性格か？ わかりうる相手の基本的な情報を思い出してみましょう。

例えば、ここで「初めてのものが好き」「食べ物はイタリアンが好物」という情報があったとします。

「ノー」を「イエス」に変える技術 ステップ3 相手のメリットと一致するお願いをつくる

相手の頭の中をもとに、コトバをつくっていきます。

ここで、**大切なのは相手の文脈でつくることです。**つまりお願いを相手に、「イエス」となるものにします。結果的にあなたの求めていることが達成できればいいのです。

相手が「初めてのものが好き」「イタリアンが好き」であるなら、それを満たすコトバをつくります。

「驚くほど旨いパスタの店があるんだけど、行かない？」

となります。相手にとってみたらまさに望んでいることだから、「イエス」となる可能性が高いですよね。

このコトバには、実は表に出ていないコトバが含まれているのです。

「驚くほど旨いパスタの店があるんだけど、行かない？

（私とデートで）」

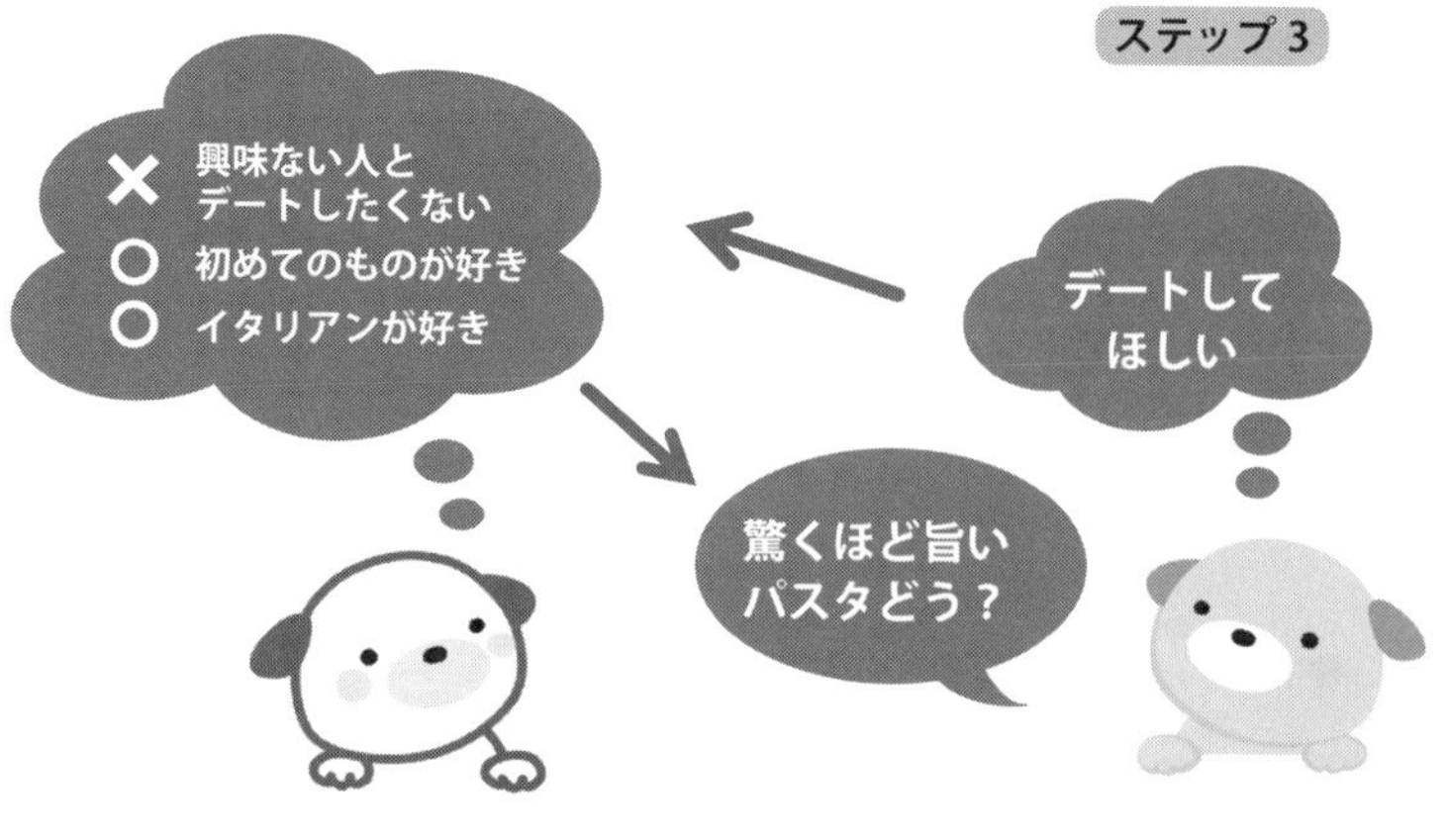
ステップ3
デートしてほしい
✕ 興味ない人とデートしたくない
○ 初めてのものが好き
○ イタリアンが好き
驚くほど旨いパスタどう？

あなたの目的はデート。だけど、デートは相手にとってみたら「ノー」。この部分はあえて言わない。だって、結果としてパスタの店に行くならデートになるのだから。

これが、**相手のメリットと一致するお願いをつくる方法**です。

この3つのステップでコトバをつくると、今まで「ノー」と言われていたものの多くが、「イエス」に変わります。今まで実現しなかったことが実現するようになります。

はじめは丁寧に、レシピ通りに

この3つのステップは、どんな「お願い」にも万能です。ステップに従ってコトバをつくればいつでも可能性がアップします。

はじめは特にこの3つのステップを、一段階ずつ意識してください。紙に書き出してもいいでしょう。いちどに答えを出してしまおうとすると、精度が上がりません。これもレシピ本とおなじで、3回、4回とやっていくうちに、レシピを見ないでもつくれるようになります。そのうち意識をしないでも自然にできるようになります。

私が受け持つ講義で例題を出すと、ほとんどの生徒がすぐにキャッチアップすることに驚きます。この3つのステップがシンプルでかつ応用がきくものだと確信する次第です。

なかなか身につかない方は、せっかちで3つのステップを踏まずに、いきなり答えを出そうとしている方でした。プロのシェフではないのですから、**レシピに従わずにいきなり自己流でつくると、想像と違う味になる**ものです。

「イエス」に変える「7つの切り口」

3つのカンタンなステップがあることは、理解していただいたと思います。特にはじめは、これらのステップを一つずつ踏むことをおすすめします。はじめての料理を、いきなり「えいや!」と感覚でつくると失敗してしまうように、コトバもいきなり勢いでつくるとヘンテコなものになります。**慣れるまでは、手順を踏む**のです。料理ではチャーハンをつくるにしても10ほどのステップがあると思いますが、こちらは3つだけです。すぐに慣れます。でも慣れるまでは意識して3つのステップを踏んでみてください。

ここで、**ステップ2「相手の頭の中を想像する」ときの、とっておきな切り口**があります。相手の頭の中を想像したときに、最も相手の心が動くであろうものを選択するだけでOKです。具体的な例といっしょに見ていきましょう。

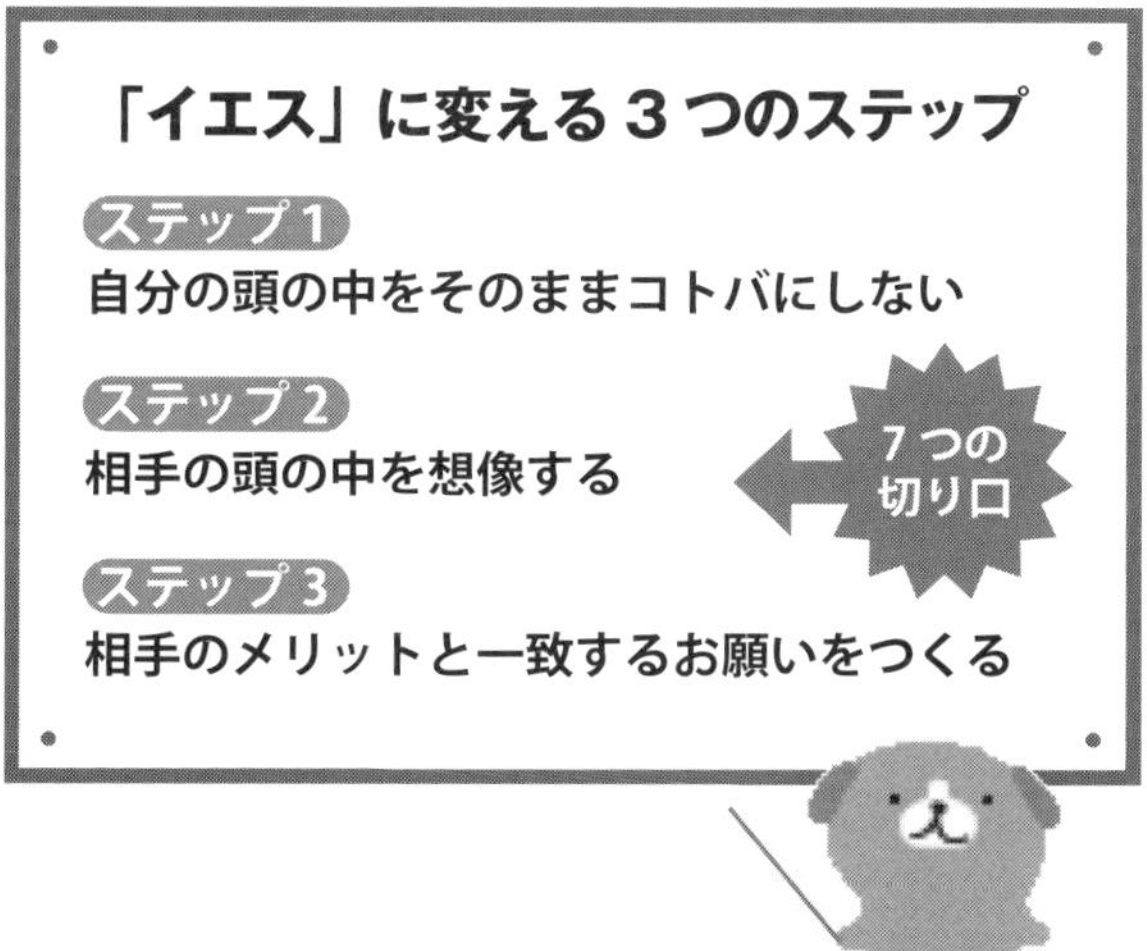
「イエス」に変える３つのステップ
ステップ1
自分の頭の中をそのままコトバにしない
ステップ2
相手の頭の中を想像する
7つの切り口
ステップ3
相手のメリットと一致するお願いをつくる

『イエス』に変える切り口 1

「相手の好きなこと」

こちらが、「ノー」を「イエス」に変える技術でも王道のつくりかたです。あなたの求めることをストレートに言うのではなく、「相手の好きなこと」からつくることにより相手のメリットに変えるのです。そう言い換えることによって、「イエス」をもらえる可能性がぐんと上がります。

まったくあなたに興味がない人がいたとして、その人をデートに誘うときのコトバ

「デートしてください」

↓あなたのメリットでしかない。

「驚くほど旨いパスタどう？」

↓相手の好きなことをもとにつくり、相手のメリットに変わった。

同じ内容のお願いですが、お願いする技術を身につけるだけで、もともと「ノー」だったものを、「イエス」に変える可能性がぐんと上がるのです。「相手の好きなこと」でつくるのは、お願いの技術の中でもいちばんはじめに理解しておいていただきたい切り口です。いくつか具体的な例を見てみましょう。

こんなことがありました。仕事で移動中、手軽に食事をとりたかったときのこと。ファーストフードをみつけた私は、早さ優先で入りました。ですが、私の注文したフィッシュバーガーは、どうやら時間がかかるよう。「それじゃ、出ようかな」と思ったところに、この店員さんのコトバでした。

「デートしてください」

✕　あなたのメリットでしかない。

「驚くほど旨いパスタどう？」

○　相手の好きなことをもとにつくり、
相手のメリットに変わった。

「できたてをご用意いたします。4分ほどお待ちいただけますか？」

そのコトバで、私は待つことに決めました。できたてなら美味しいし、いいかと。でも、考えてみると、できたてなのは当たり前です。これからつくるのですから。待った上に、できたてでないということはありえません。この店員さんのコトバは、切り口①「好きなこと」を突いていて、私はそのコトバに動かされました。

もし、これがただ

「4分ほどお待ちいただけますか？」

というお店都合のお願いだったら、私はお店を出ていました。早さ優先で入ったので。でも

「できたてをご用意いたします。4分ほどお待ちいただけますか？」

のように**私の好きなこと、メリットから話したことで結果を変えました。**実はどちらも同じ、

「4分待って」という内容だし、出すフィッシュバーガーも一緒です。ストレートにお願いをするのではなく、相手の「好きなこと」を使うことにより、結果を変えることができたのです。「ノー」を「イエス」に変えられたのです。

もうひとつ。

「わずらわしさ」を逆転、「サービス」に変えたコトバがあります。

私が香港に出張に行ったときのこと。その便は満席でした。飛行機が空港へ到着し、ビジネスで来ている人たちが大半で、あわただしい雰囲気。そこでアナウンスはかかりました。

「後方のお客さま、お時間がかかってしまうので、ごゆっくり、お支度ください」

このアナウンス、見事だなあと思いました。

飛行機から降りるのは結構わずらわしいですよね。前の人が荷物をおろすのをいちいち待たないといけないし、狭い通路を進んでは止まり進んでは止まりで、決して快適なものではありません。ああ、今回もそうかとうんざりしていたとき、それを

「ごゆっくり、お支度ください」

と伝えたことで、せわしなくなりがちなビジネスマンたちに、爽やかな風が吹いたように感じられました。これまでのアナウンスはこうでした。

「後方のお客さま、前のお客さまが出られるまで、お席でお待ちください」

つまり、ストレートなお願いだったのです。飛行機が着いたら一刻もはやく降りたいのが人情。それを「お待ちください」と言われると、どうしようもないですが、なんだかサービスが悪い印象になります。

一方で、

「ごゆっくり、お支度ください」

と言われると、**気を使ってもらってサービスをうけた感じになります**。相手のメリットになります。どちらにしても同じ、「時間がかかるのを我慢してください」というお願いなのに。

いつもなら、すぐに立って荷物を取り出すところを、私はゆっくり忘れ物がないかを確認しました。思えばいつも、飛行機を降りてから忘れ物したんじゃないかと不安になったりしたものです。曲がった襟を正したりしているうちに通路が流れはじめました。

「イエス」に変える切り口 2

「嫌いなこと回避」

一方で、**相手の嫌いなことからつくることもできます**。**「こちら嫌いでしょ、だからやらない選択をしましょう」という切り口**です。こちらは、使いかた次第で大きな効果が期待できます。芝生が踏まれて、困っています。注意書きの立て札をつくるとき、どう書いたら人は芝生に入らなくなるでしょう？


「芝生に入らないで」

↓あなたのメリットでしかない。

「芝生に入ると、農薬の臭いがつきます」

↓相手の嫌いなことからつくり、あなたのお願いを聞くこと（芝生に入らないこと）が相手のメリットに変わった。

ただ、「芝生に入らないで」と言われても、人は芝生に入るものです。ストレートに要望を言うのではなく、相手にとって入りたくなくなるよう、**「嫌いなこと回避」でコトバをつくる**のです。

先輩コピーライターの小西利行さんから伺った、こんなエピソードがあります。チカンが頻発する地域がありました。住民は「チカンに注意」というポスターをつくり貼っていたのですが、ほとんど効果はありませんでした。でも、そのポスターをあるコトバに変えたら、ぴたりとチカンが止まったというコトバがあるのです。なんだと思いますか？

「住民のみなさまのご協力で、チカンを逮捕できました。ありがとうございます。」

「芝生に入らないで」

×

あなたのメリットでしかない。

「芝生に入ると、農薬の臭いがつきます」

○

相手の嫌いなことからつくり、あなたのお願いを聞くこと（芝生に入らないこと）が相手のメリットに変わった。

なぜ、効果があったのでしょう？　それは、相手の「嫌いなこと回避」からコトバをつくったからです。

「チカンに注意」

というコトバを貼ることで、はじめ住人の方はチカンが警戒して減るのではないかと期待をしました。ですがほとんどその効果はありませんでした。それは、ステップ2を踏まなかったことにあります。**相手（チカン）の頭の中を想像していなかった**のです（笑）。チカンにとってみれば、「そう、注意してるのね」とだけ伝わったのです。一方で、

「住民のみなさまのご協力で、チカンを逮捕できました。ありがとうございます。」

は、チカンの頭の中を想像してつくられたコトバでした。チカンにとってみれば、「逮捕はされたくない」「住民が協力体制をしいている」という点で、ここではチカンするのはやめよ

うとなります。住人のチカンを止めたいという願いと、チカンの逮捕されたくないという双方にとってのメリットがコトバになっているのです。これは実際にあった「嫌いなこと回避」のお願いで、大成功したいい例です。

まったく同じお願いであっても、コトバを変えるだけで効果が変わってしまうのです。

「イエス」に変える切り口 3 「選択の自由」

こちらは**「相手の好きなこと」からの応用**です。2つ以上の相手の好きなことを並べることで、前向きに相手が選べるようにする技術です。選択の自由があること自体が、相手にとってのメリットとなります。

イエスと言うとき、相手は「決断」をしなくてはいけません。人は、決断するのには慎重になります。たとえそのお願いが、相手にメリットのあるものであっても「イエス」と言わないことさえあります。**人は「決断」が得意ではない**のです。一方で、**人は2つ選択肢があるときの「比較」が得意**です。あちらより、こちらのほうがいいと、気軽に言うことができます。実は比較すること自体では決断ではないのですが、「こちらがいい」と言ってしまうと、頭の中でそれを決断したかのように錯覚してしまう。その心理を利用するのが「選択の自由」です。

まったくあなたに興味がない人がいたとして、その人をデートに誘うとき何と言えばいいでしょう？

「デートしてください」

↓あなたのメリットでしかない。相手は「決断」しなければいけない。

「驚くほど旨いパスタの店と、石釜フォカッチャの店どちらがいい？」

↓こっちがいい、という「比較」は非常に簡単にできる。相手の好きなものである上に、選べることで、相手のダブルメリットとなる。

選択の自由をつくることで、よりあなたのお願いが受け入れられる可能性が増えます。相手がどちらかでも選んでくれれば、すなわちそれはデートＯＫ！ということ。どっちが選ばれてもいいのです。目的はデートですから。
この技術は、もちろんデートに誘う以外でも役に立ちます。例えばビジネスにおいて。私はアイディアをプレゼンするときに、自信のある一案があったとしても、必ず複数案を持っていきます。
「この案どうですか?」というより、**「A案とB案がありますが、どちらがよろしいですか?」**と言うほうが、相手は決めやすいのです。それは、人には選びたいという本能があるからです。「A案より、B案のほうがターゲットに合っている」とか比べることができます。「B案のほうがいい」と言うと、ただ比較しただけなのですが、頭の中は決断したと錯覚しやすいのです。
してほしいのは契約。A案でもB案でもかまわないのです。

「デートしてください」

×

あなたのメリットでしかない。相手は「決断」しなければいけない。

「驚くほど旨いパスタの店と、
石釜フォカッチャの店どちらがいい?」

○

こっちがいい、という「比較」は非常に簡単にできる。相手の好きなものである上に、選べることで、相手のダブルメリットとなる。

「イエス」に変える切り口 4

「認められたい欲」

これは、ステップ２で**相手の頭の中に、「他人に認められたい」とか「いい顔を見せたい」ときに効果を発揮する技術**です。もともと人は誰も認められたいという本能があります。その証拠に、赤ちゃんが立ったとき「よくできたねー」と言われると満面の笑みになり、また何度も立とうとする。**人間のＤＮＡには「認められたい欲」が組み込まれていて、それを満たすためにちょっとくらい面倒なことでもやろうと思う**のです。これは年齢にかかわらず、男でも女でもあてはまります。特に、面倒くさいと思われるものをお願いするときにはコレです。

例えば、残業を頼むとき何と言えば、快くひきうけてくれるでしょう？

「残業お願いできる？」

↓あなたのメリットでしかない。

「きみの企画書が刺さるんだよ。お願いできない？」

↓認めているコトバから始まっていることで、面倒くさいこともやってみようとする気持ちが生まれる。

えてして、頼みごとは、相手にとって面倒くさいことです。上司と部下の関係だったら、それは仕事としてやらないといけないからこの技術を使わずとも部下は動くでしょう。だけど、この「認められたい欲」を使えば、相手の気の乗りかたが変わります。最終的にあがってくる内容も、クオリティの高いものが期待できます。

こんなことがありました。絢香やSuperflyのプロデューサーをやっていた四角大輔さんという私の親友がいていっしょに大学でちょっと変わった授業をやっていました。その日の講義のテーマは、「世の中をよくするために何ができるか」でした。

「残業お願いできる？」

× あなたのメリットでしかない。

「きみの企画書が刺さるんだよ。お願いできない？」

○ 認めているコトバから始まっていることで、面倒くさいこともやってみようとする気持ちが生まれる。

「ボランティアを体験してみよう」と私が話しはじめたとき事件はとつぜん起こりました。ある学生が**「ボランティアなんて偽善だ！」**と叫んだのです。その場は静まりかえりました。実はコトバには出していませんでしたが、偽善との葛藤の中で、このテーマに心から乗りきれていない学生が何人かいました。

私もコトバに詰まっていたところ、四角さんは言いました。

「アーティストだってボランティアなどの社会活動をすると、必ずネガティブに言われてしまうんだ。でも、そんなヤジはまったく気にしなくていい」

「偽善と言われようが、行動することに意味があるんじゃない？　何もやらずにいる人より、動く人のほうが素敵だし、その小さな積み重ねによって世の中はよくなると思うんだ」

四角さんのコトバは、彼らの心のもやもやを晴らすとともに「認められたい欲」を満たしたのです。ただ私が「ボランティアしてみよう」とストレートに言っても、きっと学生たちは心から参加はしなかったし、一部では、気が乗らず講義に出なくなる学生もいたでしょう。ですが四角さんのコトバにより、学生たちは率先して取り組むようになりました。ココロが動いたのです。そして偽善だと叫んだ学生は、その後、誰にも増して参加するようになりました。

「イエス」に変える切り口 5

「あなた限定」

こちらは、ステップ2で相手が「寂しがりや」とか「自分が好き」というときに効果を発揮します。もともと**人は「あなた限定」に弱い**です。何十万円もするツボとか買ってしまう人がいるほど弱いです（笑）。使うときには、良心のもとに使っていただきたい技術です。皮肉のようですが、「あなた限定」からつくるこの技術が効くのは、実は、沢山の人数にお願いするときです。

例えば、誰も行きたくない自治会のミーティングに誘うときの伝え方。

「自治会のミーティングに来てください」
↓あなたのメリットでしかない。

「他の人が来なくても、斉藤さんだけは来てほしいんです」

↓その人の名前を使い「私こそが必要と思ってくれている」と思わせ、心を満たすことで相手のメリットに変える。

大人気のベトナム料理店がありました。市街地から離れていて車でしか行けない場所にあるのに、人はタクシーに乗ってまでも行くのです。私も友人にすすめられてそのお店に行きました。狭い店内はその日も大混雑でした。確かに味はいいのですが、驚くほどではありません。大人気の秘密はなんだろうと思っていたところ、食事の最後に店主が出てきてこう言ったのです。**「はじめて来たあなただけ、特別なデザートに変更します。貴重なフルーツで、こ**

「自治会のミーティングに来てください」

×　あなたのメリットでしかない。

「他の人が来なくても、斉藤さんだけは来てほしいんです」

○　その人の名前を使い「私こそが必要と思ってくれている」と思わせ、心を満たすことで相手のメリットに変える。

の店にあるのはこれが最後の１つです」と。そしてあまり見たことのない、リッチな感じのするフルーツをテーブルの上に置きました。

私は、とっても感動しました。もともとコースについていたパイナップルに代えて、特別なデザートを用意してくれていたのです。店主は、「あなた限定」を見事につかっていました。私は瞬時にしてこのお店のファンとなりました。

実はこの話には、そのあとがあります。感動しながらその特別なフルーツを食べていたところ、ちょっとして隣のテーブルにも「お店に最後の１つ」だったはずの特別なフルーツが運ばれてきたのです。あれ？と思いました。店を出る前にちらり厨房を覗いたわたしは驚きました。**「お店の最後の１つ」のはずのフルーツが山積みされていた**のです。その大繁盛店の店主は、**すべての人に「あなた限定」を使っていた**のです。

「イエス」に変える切り口

6

「チームワーク化」

こちらは、ステップ2で**相手が「面倒くさい」「やる必要性がそこまで見つからない」と思っているときに効果を発揮します。**お願いを相手任せにするのではなく、「いっしょにやりましょう」とあなたと相手をチームワーク化するのです。人はひとりだったらしないことをするようになります。

人はもともとコミュニティを大切にし、集団行動する動物です。誰かがやるなら自分もやりたくなるのです。ひとりだと化粧室に行きたくなくても、「いっしょに化粧室に行こう」と言われると、動くのが人です。

ひとりだと赤信号を渡りたくなくても、「いっしょに渡りましょう」と言われると、人は動くのです。

例えば、勉強嫌いの子どもに勉強させるとき、どう言ったらいいでしょう？

「勉強しなさい」
↓あなたのメリットでしかない。
「いっしょに勉強しよう」
↓面倒なことであっても、人といっしょであれば動くもの。

子どもを持つすべてのお父さんお母さんに耳寄りな方法です。「勉強しなさい」と言っても、子どもは勉強しないですよね。子どもは素直です。やりたくないことは、やらない。それで頭を悩ませているご両親も多いことでしょう。それなら、やりたいと思わせるよう伝えればいいのです。**子どもが勉強をしてしまう、魔法のコトバ**があります。

「いっしょに勉強しよう」

です。これは「チームワーク化」を使ったお願いのしかたです。それまで勉強しなさいと言っても、そうは勉強をしなかった子ども。自分の部屋に行ったとしても、マンガを読んでいるかもしれません。実際、私の友人も

「勉強しなさい」

× あなたのメリットでしかない。

「いっしょに勉強しよう」

○ 面倒なことであっても、人といっしょであれば動くもの。

子どもが勉強しなくて困っていました。何度、

「勉強しなさい」

と言っても、いっこうに改善する気配がなかったのです。それが、

「いっしょに勉強しよう」

と言い、居間で子どもが勉強している間、じぶんは好きな本を読むようにしたら、子どもが隣で黙々と勉強をするようになりました。人は本能的に、誰かといっしょに何かをやりたいのです。それは太古の時代から人間が生き延びてきた知恵です。誰かが狩りをするときは、協力していっしょに行い、木の実を集めるときも、外敵に襲われないよういっしょに行った。その記憶が私たちの奥底にあるのです。

ただ、これは**自分も動くことが前提**です。動くといっても、子どもといっしょに同じ机で真剣に何か好きなことをすればいいのです。

これは、もう一歩進んだ例です。本田直之さんの講演に参加したときに、その心の掴み方に衝撃をうけました。

どの講演であっても、聴衆は意欲的な人とそうでもない人がいるもの。特に後ろのほうに

座っていて、なんとなく参加した人たちは眠っていたりもします。

講演がはじまったとき、本田さんはいきなり矢継ぎ早に質問をはじめました。

「この中で、自分が面倒くさがりやと思う人？」

「この中で、満員電車に乗るのがキライな人？」

「この中で、決まった机でずっと仕事するのがキライな人？」

これらの質問に、そこにいる会場ほぼすべての人たちがざわめきながら手をあげました。それらの質問は、ほぼ全員が手をあげたくなるような質問でした。そして本田さんも言いました。

「私もいっしょです」

各分野で大成功しているあの本田さんが、自分たちといっしょの考えということに、**その会場は軽い興奮状態になりました。**もちろんそこからの本田さんの講演内容が素晴らしかったこともあります。ですが、はじめに受講者と本田さんはいっしょだということを伝えたことで、ただの一方的な講演ではなく、聴衆と本田さんがその場を、その講演をいっしょにつくっている状況となったのです。

講演は、大盛況のまま、あっという間の90分が終了しました。私の体感でいうと20分ほどで終わってしまったかのような時間の流れでした。

もし、ただ「みなさん、私の話をきいてください」というカタチで講義をしていたらきっと寝る人も出てきたでしょう。ですが、本田さんの**「みなさん、私といっしょに授業をつくりましょう」という暗黙のメッセージがあったことで全員の心が動いた**のでした。

「イエス」に変える切り口 7 「感謝」

こちらは、**最終手段にして最大の方法**です。ステップ2でこれまでの切り口がどれも使えないときの最終手段です。人と接するときの基本ともいえます。太古の昔から人はお願いをかなえてもらうために「感謝」をしてきました。世界中の農業文化にある収穫祭も、感謝とともに来年の豊作への願いが込められていました。小林正観さん著のベストセラー『ありがとうの神様』でも、「ありがとう」というコトバには、すごい力があると記されています。

「ありがとう」と感謝を伝えられると、ノーとは言いにくいことを昔から人は知っていたので

す。

例えば、会社でおとしにくい領収書を事務の方にお願いするのに、どう言ったらいいでしょう？

「領収書をおとしてください」

↓あなたのメリットでしかない。

「いつもありがとうございます。領収書お願いできますか」

↓感謝から入ると、「ノー」と言いにくい。

ある時から、コンビニのトイレで書かれているお願いのコトバが変わってきました。以前は、

「トイレをキレイに使ってください」

「領収書をおとしてください」

✕ あなたのメリットでしかない。

「いつもありがとうございます。領収書お願いできますか」

○ 感謝から入ると、「ノー」と言いにくい。

と書かれていました。でもこちらだと、コンビニ経営者の自分のメリットでしかありません。キレイに使ってくれる人もいれば、使わない人もいたのだと思います。それが今ではこう変わっています。

「トイレをキレイに使っていただき、ありがとうございます」

感謝が入ると、人はお願いを拒否しにくいのです。最近ではほとんどのコンビニがこのコトバに変わりました。実際に効果があるのでしょう。

「お願い」は相手との共作だ

自分のお願いを、思ったままストレートに口に出すのでは、「イエス」になるか、「ノー」になるか運に任せるしかありませんでした。ですが、相手のことを想像してコトバをつくることによって、「イエス」になる確率がぐんと上がることを知っていただけたと思います。なぜなら、この技術によってできたお願いは、それは相手にとってもメリットであり、本能的にそうしたいと思うからです。

「ノー」を「イエス」に変える技術の答えは、相手の中にあります。ここまで読み進めていただくうちに、気づいた方もいらっしゃると思います。**「お願い」は、あなたのコトバではなく、あなたと相手の共作**なのです。あなたのハッピーと相手のハッピーをいっしょにつくりあげることなのです。

この技術を実践することは、あなたの未来を変える可能性があります。就職先、転職先、留学の実現、結婚相手。でも、忘れないでください。この技術は、決して楽勝で人生を過ごす技術ではありません。そう思った瞬間、うまくいかなくなります。これは相手のことを想像する技術、言い換えれば、相手への愛情を表現する技術です。

この本を読んだあとでもすぐ誰かにお願いすることがあると思います。そこで学んだ3つのステップ、7つの切り口を使ってみてください。今までのお願いでは実現しなかった結果を生みだすはずです。

「イエス」に変える「7つの切り口」

❶「相手の好きなこと」
❷「嫌いなこと回避」
❸「選択の自由」
❹「認められたい欲」
❺「あなた限定」
❻「チームワーク化」
❼「感謝」

あなたのお願いを実現させる
答えは、自分の中にない。
相手の中にある。

この瞬間から、技術を使ってみる

この本は、読んだその瞬間から技術として使えることを目指しています。「ノー」を「イエス」に変える技術を確認する意味でも課題をいっしょに解いてみましょう。あらためて

ステップ1　自分の頭の中をそのままコトバにしない
ステップ2　相手の頭の中を想像する
ステップ3　相手のメリットと一致するお願いをつくる

このステップに従ってコトバをつくってみましょう。

課題1　「自転車を置かないで」

あなたの家の前にいつも自転車が置かれて困っているとします。看板にどんなコトバを書けば置かれないようになるでしょうか？

まずは、ステップ1です。

頭で思っていることをそのまま口にするのをやめます。現に、「自転車放置禁止」と書いてあったとしても、人はそんなものには見向きもしませんから。


ステップ2です。

相手の頭の中を想像してみます。「自転車を置かないで」とお願いしても、もともと放置自転車をしているのだから、「禁止されたって置いちゃうよ」というのが自転車の主の頭の中でしょう。

ここではどの切り口を選ぶといいでしょう？「相手の好きなこと」「嫌いなこと回避」「選択の自由」あたりからつくれそうですね。答えはひとつではありません。切り口から、いくつもつくることができ、選ぶことができます。その中で一番効果のありそうなものをあなたが選

ステップ１

択してください。

「相手の好きなこと」で相手の頭の中を考えると、「もっと駅の近くに置きたい」といったものがあるでしょう。

「嫌いなこと回避」で考えると、「自転車がなくなったら困る」といったのがあるでしょう。

「選択の自由」で考えると「(ここじゃない)駅に近い場所や、安全な場所に置きたい」というキモチを想像できます。

ここでは、「嫌いなこと回避」を想像してみます。自転車を置いておいてイヤなこと……自分の自転車がなくなったらイヤですよね。

ステップ３です。

それをもとに、相手のメリットと一致するお願いをつくります。自転車がなくなったら困るというなら、「ここに置くとなくなりますよ」もしくは「捨てられますよ」と。

ステップ２
自転車を置かないでほしい
✕ 禁止されたって置いちゃうよ
○ なくなったら困る

これがあなたの求める「自転車を置かないでほしい」と、相手の求める「なくなったら困る」を一致させたコトバです。

自分の頭で思ったコトバをストレートに看板に書くなら、「自転車を置かないで」となります。ですがそれでは求めるような効果はないでしょう。一方で「ここは自転車捨て場です」とあれば、さすがに置かないですよね。相手の頭の中からコトバをつくれば、相手を動かすことができるのです。

ステップ3
自転車を置かないでほしい
✕ 禁止されたって置いちゃうよ
○ なくなったら困る
ここは、自転車捨て場！

課題 2

「ムダな電気を消して」

あなたの家族が、いつもムダな電気をつけっぱなしだとします。「ムダな電気を消して」と言っても聞く耳を持ちません。なんと言えば、消すようになるでしょうか？

まずは、ステップ1です。

頭で思っていることをそのまま口にするのをやめます。今さら「ムダな電気を消して」と言ったところで、相手が変わるものでもありません。

ステップ2です。

相手の頭の中を想像してみます。余計な電気を消さないのはなぜでしょう？　つけていたいからではなく、めんどうくさいからでしょう。

ステップ1
ムダな電気を
消してほしい
ムダな電気
消して

では、「7つの切り口」のどれを選ぶといいでしょうか？「嫌いなこと回避」「認められたい欲」「チームワーク化」あたりからつくれそうですね。

「嫌いなこと回避」で相手の頭の中を考えると、「環境をこわしたくない」「電気代をかけたくない」といったのがあるでしょう。

「認められたい欲」で考えると、「いいことする自分を認めてほしい」という気持ちがあるでしょう。

「チームワーク化」で考えると、「いっしょにならやってもいい」という本能があるでしょう。

答えはひとつではありません。いくつか考えて、相手にとっていちばん効果のありそうなのを選択しましょう。どれが最適かは、相手によって変わってきます。どこのツボがいちばん効くか、相手を想像しましょう。

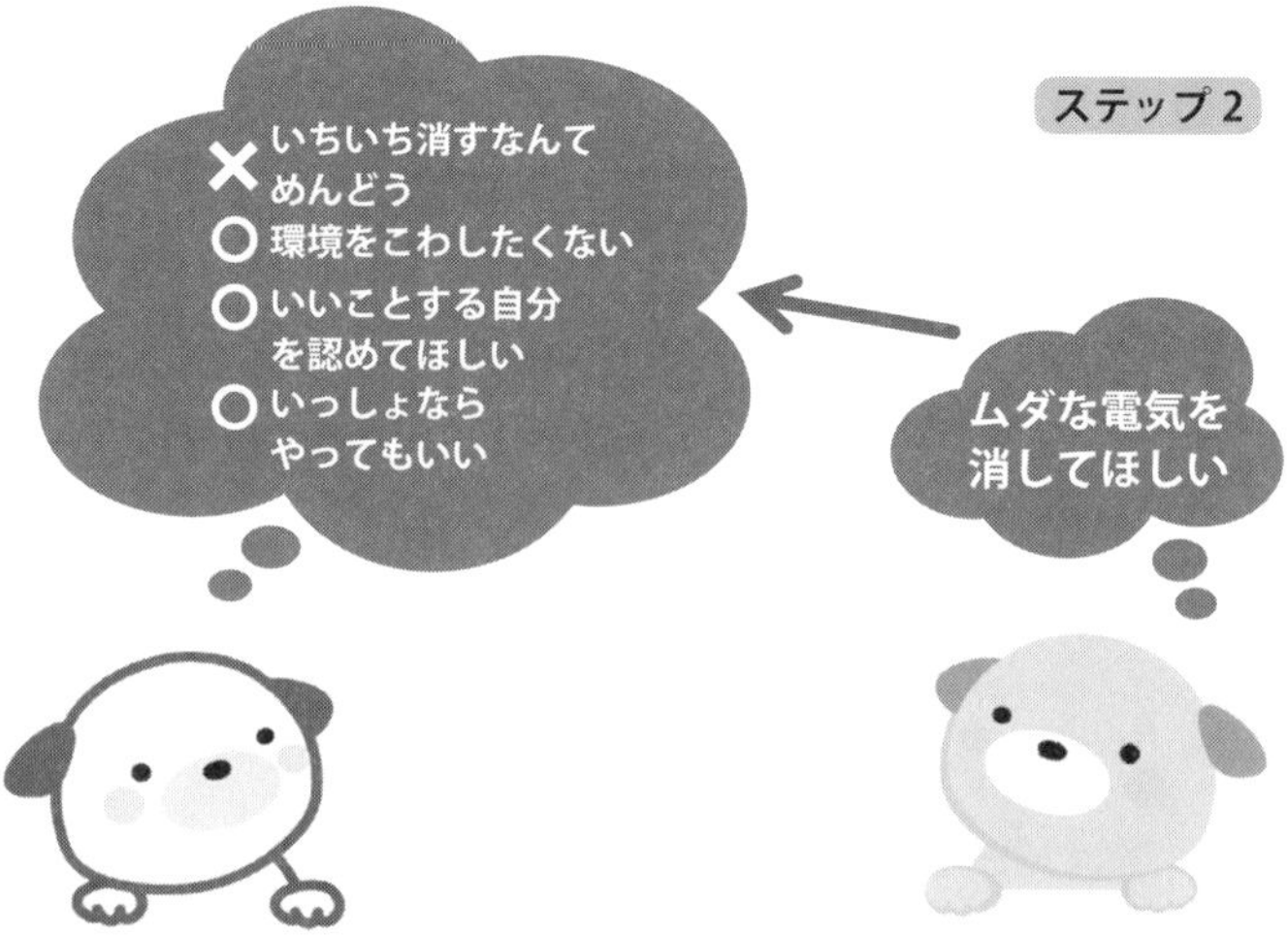
ステップ2
ムダな電気を消してほしい
× いちいち消すなんてめんどう
○ 環境をこわしたくない
○ いいことする自分を認めてほしい
○ いっしょならやってもいい

ステップ3です。

それをもとに、相手のメリットと一致するお願いをつくります。ここでは相手に、「チームワーク化」が効きそうだとします。「いっしょにやっていこう」とお願いします。

こうすれば、ストレートに「ムダな電気を消して」と言われてやらなかった家族でも、前よりは前向きに動いてくれるようになるでしょう。**チームワーク化**では、自分も動くことが前提です。

この課題に私の教えている生徒で、ちょっと素敵なコトバをつくったひとがいたのでそちらも紹介しておきます。

「電気を消せば、星が見えるよ」

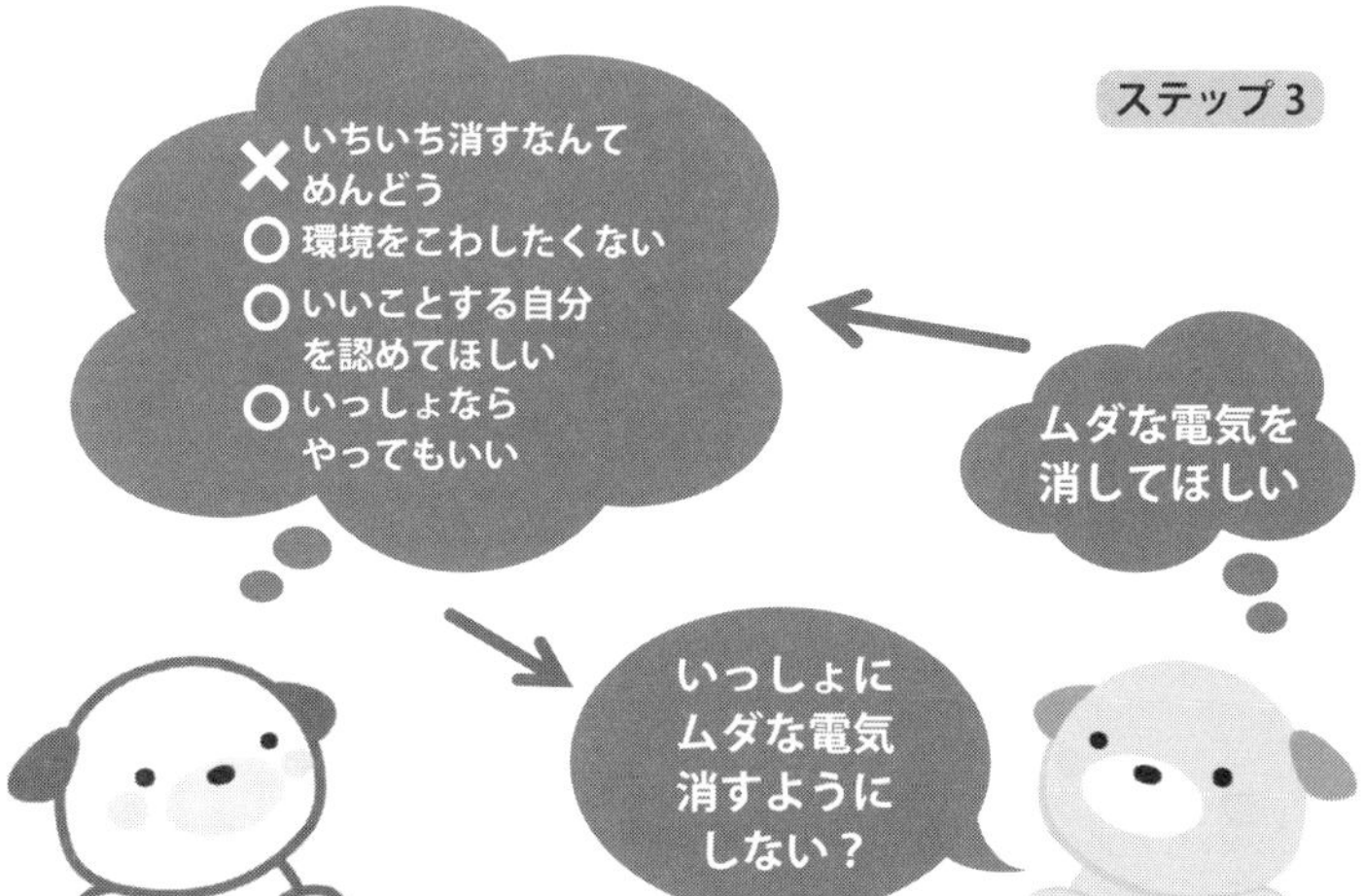
ステップ3
ムダな電気を消してほしい
×いちいち消すなんてめんどう
○環境をこわしたくない
○いいことする自分を認めてほしい
○いっしょならやってもいい
いっしょにムダな電気消すようにしない？

こちらは、「相手の好きなこと」の切り口からつくったものです。ロマンチックで相手が恋人の場合には、抜群に効くコトバだと思います。こう恋人から言われたら、どんなに電気を消すのがめんどうでも、消してしまいますよね。

同じお願いをするのでも、コトバを変えるだけで、結果を変えることができること。わかっていただけたでしょうか。

コトバの力だけで突破する

——モノでつるのではなく、コトバだけで相手の気持ちを変える

「残業をお願いする」という課題を出したときです。こういう答えを出してきた方がいました。

「こんどおごるから、残業お願いできない？」

その方は、「相手の好きなこと＝おごられる」からつくったとのこと。確かにこういう方法もあると思います。実際に効く方法だとも思います。ですが、ここで私たちが目指したいのは、**モノでつるのではなく、ピュアにコトバだけで相手の気持ちを変えることです。**「ノー」を「イエス」に変えるために、お金やモノでつることはできるでしょう。だけど、コトバだけでも変えることができるのです。それがコトバの凄い所だし魅力です。コトバをもっと信じてみてください。コトバの力だけで突破することは、できるのです。

「ノー」を「イエス」に変える技術を毎日に

――選べないはずの、白い携帯を手に入れたコトバ

この技術は、人生の勝負どきでも、大きなプレゼンでも役に立ちます。ですが私がお勧めしたいのは、日々のちょっとしたことから使うことです。使っていると、日々に変化が起こります。

こんなことがありました。私の会社員時代。会社から支給されている携帯が機種変更されることになりました。ですが色を選ぶことはできないというのがルールでした。赤、青、黄、緑、オレンジ、黒など20色ある中からどの色がくるかわからないのです。でも私は、どうしても白がほしくて。みなさんもこういうことってありますよね？

ストレートなお願いとしては**「白い携帯をください」**です。ですが、そのままお願いしても「それはできないルールです」と言われるでしょう。

そこで、私は携帯を配布する担当者にこんなメールを送りました。

〇〇さま
はじめまして。
こんど携帯の機種変更だと伺いました。
こうやって、仕事をサポートしていただく
方がいるから私たちが安心して働けるのだと
知りました！　　↑切り口④「認められたい欲」
ありがとうございます！　↑切り口⑦「感謝」
携帯の色を選べないとルールで決められているのは知っていますが、
もし可能でしたら白を希望します。
佐々木圭一

相手の頭の中では「機種変更の仕事なんて、誰も気にしていない」と思っているのではないかと想像しました。それに対して、**気にしているよと「認められたい欲」と「感謝」の切り口**

でお願いをつくりました。

返ってきたのが以下のメール。

佐々木様
お疲れ様です。
佐々木様のように、私の仕事を
そうやって考えていただける方がいらっしゃると
知ってとてもうれしくなりました。ありがとうございます。
ご存じの通り、色については選べないのがルールでして……。

そして届いたのは……白い携帯でした。20色あるので白の携帯が手に入る確率は普通なら20分の1です。たまたま、5%がラッキーに当たったのかもしれません。ですが、これは本当にただのラッキーだったのでしょうか？　それは誰もわかりません。ただ、白い携帯が私の手元にきたのは事実です。

不可能に見えても
コトバのチカラで
突破できる。

COLUMN

ふせんマジックを使う！

——あなたはまだふせんが持つ可能性の10％しか使っていない

学んできた技術を使う上で、ふせんには、大きな可能性があります。今まではメモして書類や手帳に貼りつけておくだけだったのではないでしょうか？　ふせんは使い方次第で、あなたのコトバをさらに輝かせるツールに早変わりします。今まで、コトバを書いて貼っておくだけだったなら、あなたはふせんの持っているポテンシャルを10％しか使ってこなかったといえるでしょう。

ふせんは「糊」のついた「紙」です。これに着目すると**「立てる」「やぶる」「隠す」**などができます。

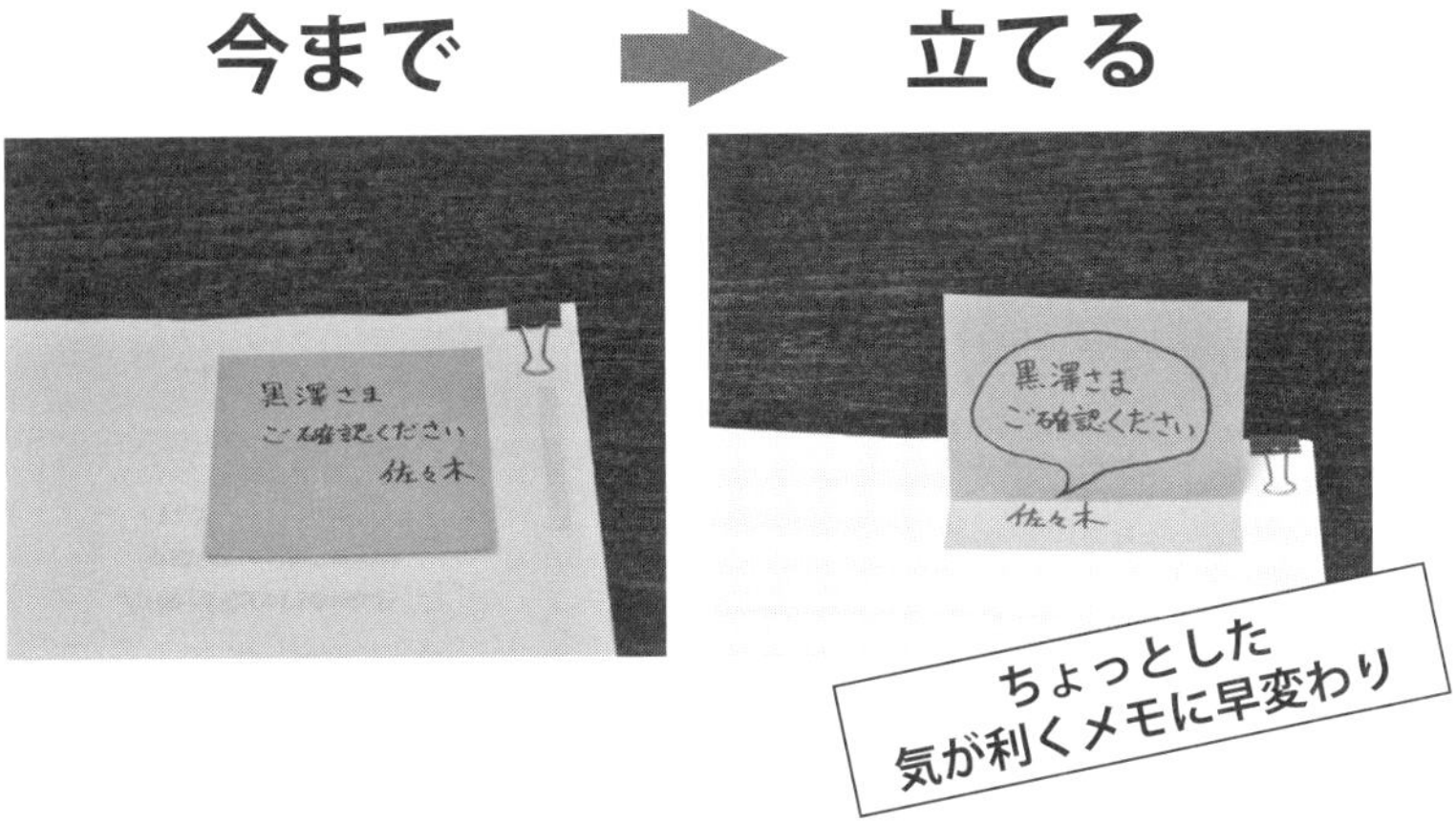

カンタンな例として、ふせんを立たせてみましょう。これだけで他のメモより、あなたのメモは圧倒的に注目されるものとなります。普通にふせんが貼りつけられただけの資料は、はじめいちばん上だったのが、次々と書類に埋もれていき、数ケ月後に化石として発掘されることもあるでしょう。ですが、「立てる」ことをしたふせんなら、無視されません。必ず目を通してもらえます。

このふせんマジックには3つの効能があります。

①注目される

もう、見た目からして他の人と違うので、圧倒的に注目されます。「あなたのふせん」と「それ以外」に区別されるでしょう。

②相手に好印象をあたえる

ひと工夫のあるふせんを見ると、相手は好印象を持ちます。なぜなら、ひと工夫をするとは「あなたが好きです」と伝えていることだからです。

③いじれない文書に使える

会社の公的文書、請求書など。原文をどうしてもいじれない文章に有効です。「お願い」する技術を入れることのできない公文書も、**ふせんマジック**を使う手があるのです。

「ノー」を「イエス」に変える技術が料理なら、ふせんマジックは、それをのせるお皿です。お皿が違うだけで、まったく同じ料理であったとしても、値段、そして味まで変えてしまうのがお皿です。まったく同じコトバでも、書く紙によって印象が大きく変わるのです。

ふせんマジックを使うときに、書くコトバはそこまで凝らなくてもいいです。なぜなら、このの**ふせんの技術自体で、お願いする技術の切り口⑦「感謝」の役割を果たすから**です。工夫のあるふせんを使うことで相手への心遣いが伝わります。ですのでコトバは短く、すぐに伝わるものにしてもかまいません。

ふせんマジックは、多彩です。他にもこんなことができます。

今まで、ふせんをやぶったことは、なかったと思います。だからこそ、やぶったふせんは目立ちますし、さらには、手をかけたことへの愛情まで感じさせることができます。

隠すことができるのも、ふせんの特徴です。他の人には見られたくないこともふせんを折ることで上手に伝えることができます。

お気づきのように、ふせんはただの伝言メモではありません。積極的コミュニケーションツールなのです。

やぶる

ユニークさが際立つ

隠す

黒澤さま
人に見られたくない
ニュアンスが書ける

では課題です。

課題　サインください。
領収書をおとすため、上司のサインをお願いしてください

ふつうにふせんで「サインください」とだけ書いて渡すと、それこそ、上司の書類の奥深くに眠り、数万年後に発見される可能性もあるでしょう。一方、あなたはふせんマジックを使って上司に、苦笑いされながらもサインをもらってください。
私の講座を受けた生徒さんも数々の良作を生み出しています。ご参考までに。

第2章　まとめ

●コトバは「思いつく」のではなく「つくる」ことができる。

●「イエス」に変える3つのステップ。
ステップ1　自分の頭の中をそのままコトバにしない
ステップ2　相手の頭の中を想像する
ステップ3　相手のメリットと一致するお願いをつくる

●はじめは丁寧に、レシピ通りにコトバをつくる。

●「イエス」に変える「7つの切り口」
①相手の好きなこと ②嫌いなこと回避 ③選択の自由
④認められたい欲 ⑤あなた限定 ⑥チームワーク化 ⑦感謝

●あなたのお願いを実現させる答えは、自分の中にない。相手の中にある。

●学んだ技術は、すぐ毎日の生活に使っていこう。

●ふせんマジック「立てる」「やぶる」「隠す」を使おう。

第3章

「強いコトバ」をつくる技術

——感動スピーチも、映画の名セリフも、こうやればつくれる

誰にでも、強いコトバはつくれる

——例えば、感動するコトバはつくれるのでしょうか？

「感動」というヤツは、つかみどころがなさそうに見えます。右脳的で、感情的で。突然天から降りてくる、偶然の産物のようにさえ感じられます。「感動」をつくるなんて、ありえないと感じられるかもしれません。だけど一般には知られていないレシピがあるのです。

味覚の感動も同じです。あなたがラーメンの旨さに感動したとします。だけどその味は決して魔法でも、奇跡でもありません。そのラーメンにはレシピがあって、その通りにつくっているから感動のダシがつくられるのです。鶏ガラ、タマネギ、ときにおやじの汗かもしれません。何度行っても、その味があるのです。ただ、そのレシピを知っているのはラーメン屋のおやじだけだったりしますが。コトバも同じように、一般には知られていない感動を生み出すためのレシピがあります。

さあ、この章からさらに楽しくなっていきます。**私が十数年かけて発見した「強いコトバをつくる過程」を、あなたにもこの章を読む数十分で、体験していただきます。**強いコトバはつくれることを知ったときの、鳥肌の立つような感覚をあなたにもしていただきたいと思います。

ここで学ぶコトバは、そのまま口で伝えるだけではなく、メール、HP、企画書、メモなどすべてのコトバを使う場面で役立つ方法です。

前章の「ノー」を「イエス」に変える技術と同じように、「強いコトバ」をつくる技術にもレシピがあります。それに沿ってつくれば、誰にでも今までの自分ではつくることのできなかったコトバをつくれるようになります。

コピーライターや作詞家、作家はこれらのレシピが日々の繰り返しの中で身につき、無意識のうちにやっています。一般の方でも、自分の経験の中でやられている方もいます。ですが、今まで「どうすれば、感動をつくれるか」を体系化してまで考えたことはなかったのではないでしょうか。

何ごとでもプロとアマの違いは、常に成果を出せるかどうかです。アマでもとびきり上手に天ぷらを揚げられることもあると思います。ですがそれは、次回できるとは限りません。プロは今日も明日も明後日もとびきりの天ぷらを揚げます。

今まで、あなたも「凄くいいこと言った！」と思ったことがあるでしょう。ですが、それを毎回続けることは難しいはずです。私は、自分自身がどんなに体調が悪くても、どんなに時間がなくても、プロとして一定レベルのコトバを書けるように技術を体系だてました。あなたがこの技術を使えば、プロとまったく同じとまでは言いませんが、今までの自分からは想像できない、ご家庭でできるプロの味をつくれるようになります。

世の中の情報量は、10年で約530倍になった

――感動のないコトバは無視される時代

ここに驚くべきデータがあります。世の中に存在して目にすることのできる情報量が、10年で５３０倍になったことです。インターネット情報の増大が原因です。ビジネス書1冊ぶんしかなかった情報が、10年で本棚まるごと2つぶんに増えてしまったのです。とんでもない量の情報の洪水が、私たちの生活の中を駆け抜けています。

これにより、世の中で何が起こっているかというと、ほとんどの情報が無視されているということです。

ただでさえ溢れている情報の中で、**個性のない普通のコトバは無視されるどころか、なかったものとして扱われます。**そんなコトバは、深夜に通り過ぎる貨物船です。誰にも気づかれず、通り過ぎていくだけです。これまでの時代は、コトバを職業にする人だけが技術を磨けばよ

かったのです。でも今は、一般の人たちこそコトバ磨きが必要な時代といえます。メールも、ブログも、企画書も。どれだけ強いコトバをつくれるかは、この時代を生きる私たちの命題ともいえます。

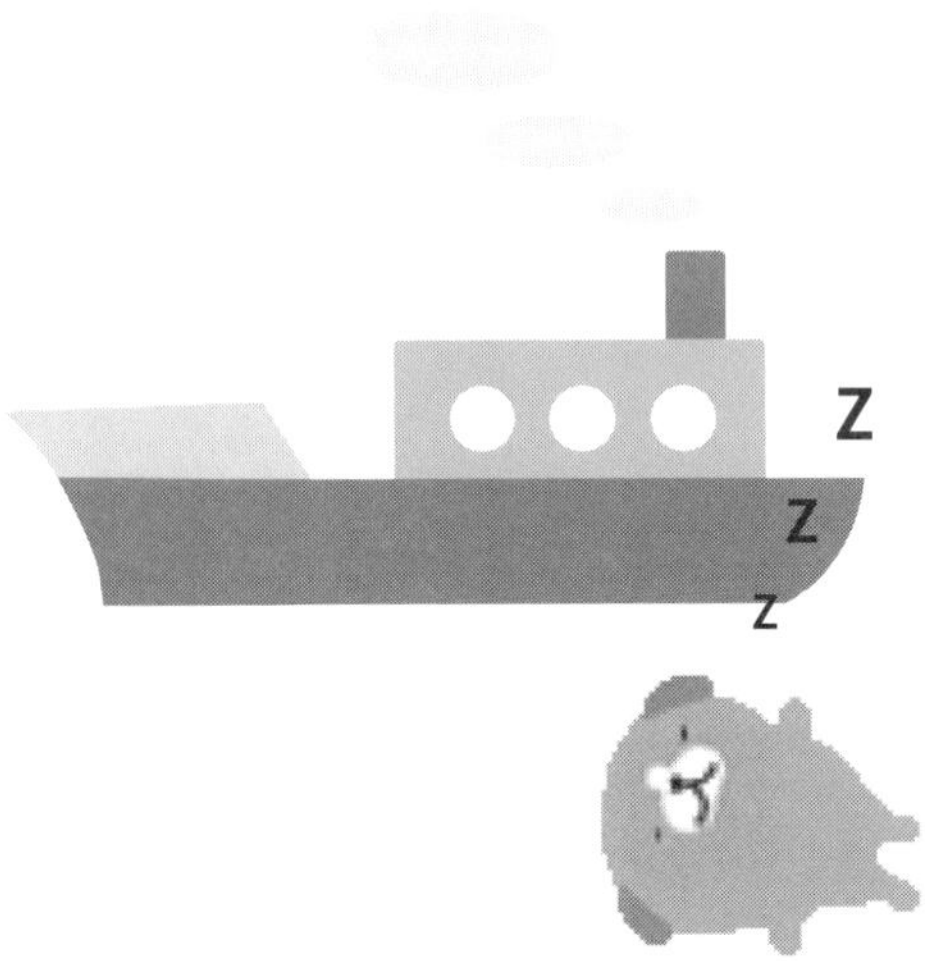

世の中の情報量は10年間で約530倍に

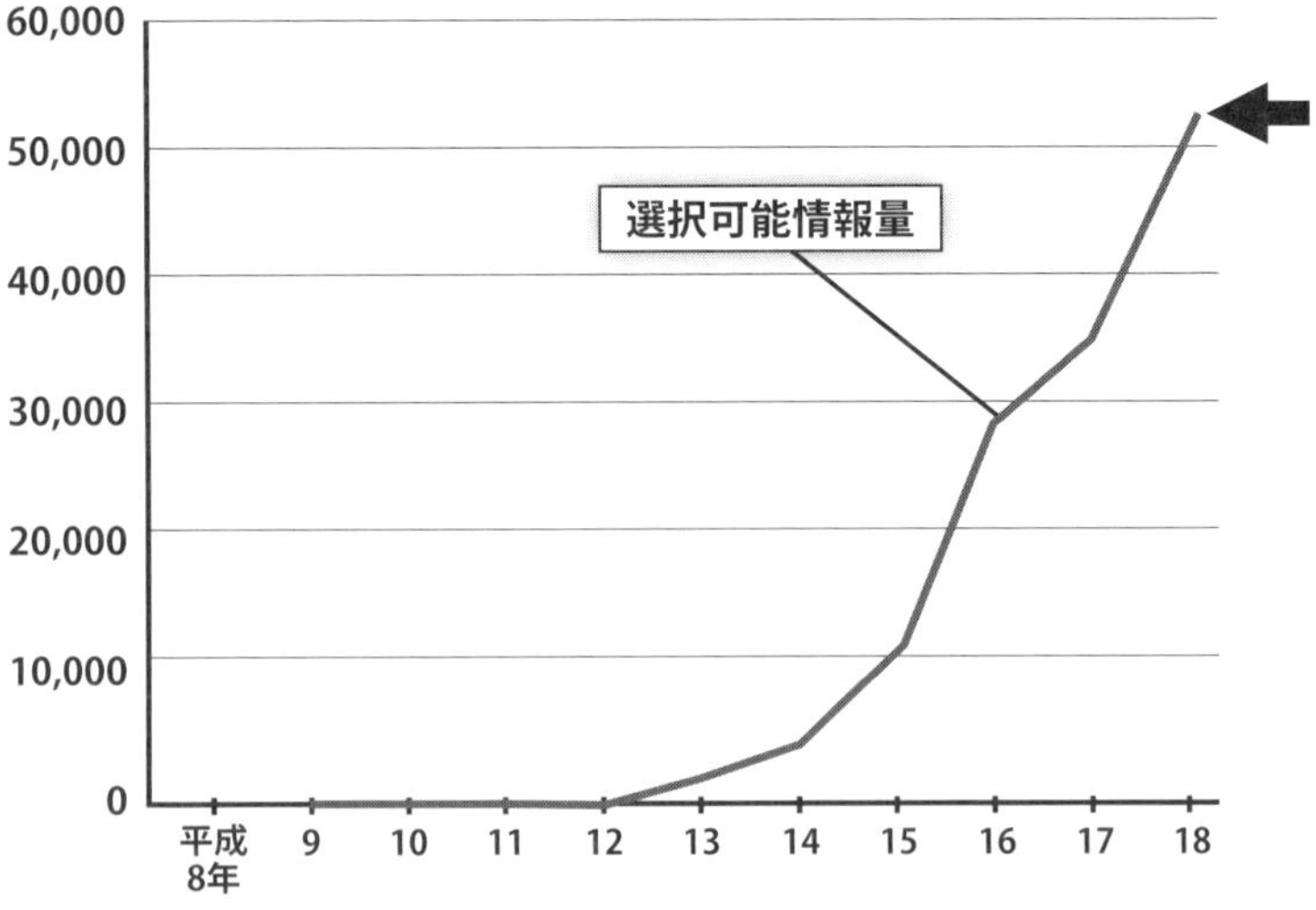

総務省　『平成 18 年度情報流通コンセンサス報告書』　情報流通量等の推移より
(平成 8 年度＝ 100 として)

同じ内容なのに強いコトバと弱いコトバがある

例えば、

「記憶に残る選手」

より

「記録より、記憶に残る選手」

のほうが、強いコトバですよね。こちらはプロ野球で語りつがれているコトバです。ぐっときますよね。どちらも意味は同じ、記憶に残る選手になりたいということですが。

つまり、**同じ内容であっても、強いコトバ**と弱いコトバがあるのです。料理の素材となる、内容ももちろん大切ですが、調理の仕方次第で旨い料理にも、そうでない料理にもなるのです。

お笑い芸人で、同じことを話したとしても笑える芸人と、笑えない芸人がいますよね。

「ダウンタウンだから、面白く聞こえる」と言われることもあります。つまり有名かどうかで面白さが変わる。ずるい、と思われるふしがありますが、それは違います。**有名な人ほど、面白く聞こえるように**伝えているのです。伝え方が巧みなのです。だから笑えるのです。有名人ほど笑えるのは、当然です。伝え方が上手なゆえに、有名になったのですから。

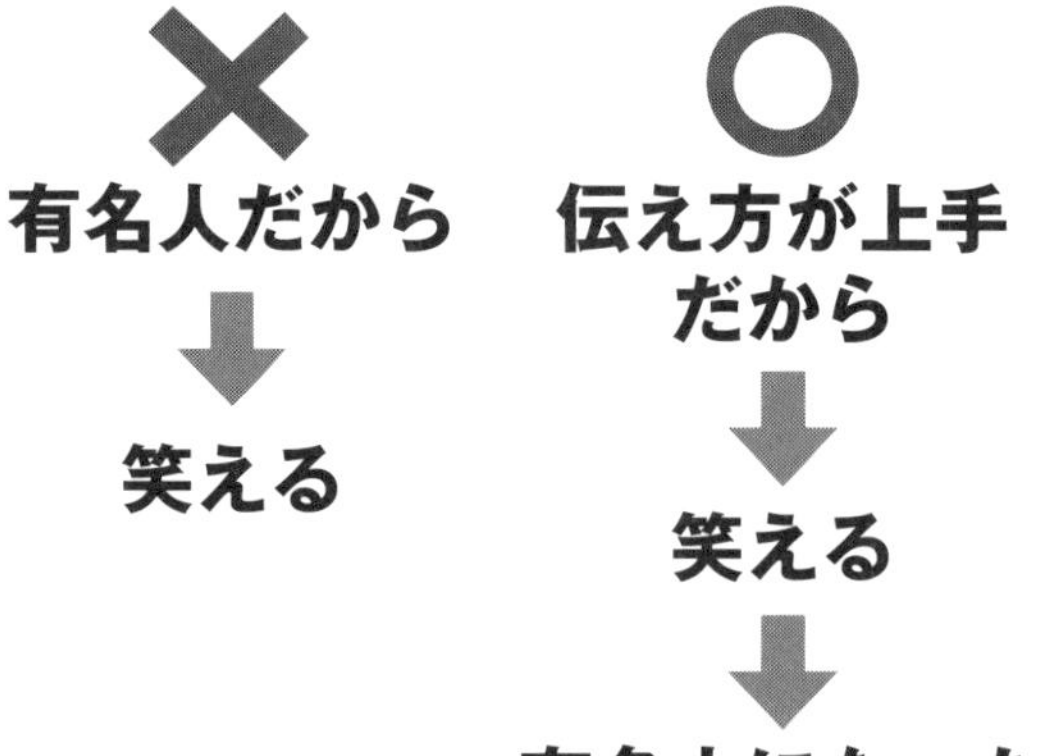

×
有名人だから
笑える
○
伝え方が上手だから
笑える
有名人になった

「強いコトバ」とは？

ここで考えておきたいことがあります。「強いコトバ」とはどんなコトバでしょう？　もちろん、心が揺さぶられるコトバです。ぐっときたり、じわっときたり、無視しておけないコトバです。

本書では、**「強いコトバ」を、人の感情を動かすエネルギーのあるコトバ**と捉えています。そのエネルギーのことを、**「コトバエネルギー」**と私は呼びます。

「感動」というつかみどころのなさそうなものを、「エネルギー」と捉え直すことであやつることができるようになります。気になるコトバ、心に／記憶に残るコトバ、思わず文章の先を読みたくなるコトバを、意識してつくることができるようになります。

定義

強いコトバ

||

心を動かす
エネルギーのある
コトバ

コトバエネルギーをどう生むか

強いコトバをつくるのに必要な、「コトバエネルギー」をどう生み出すか？

その方法は、**ジェットコースターの原理と同じ**です。**コトバに高低差をつけてあげれば、エネルギー**は生まれるのです。

例えば、

「あなたが好き」

より

「嫌いになりたいのに、あなたが好き」

のほうが高低差があります。

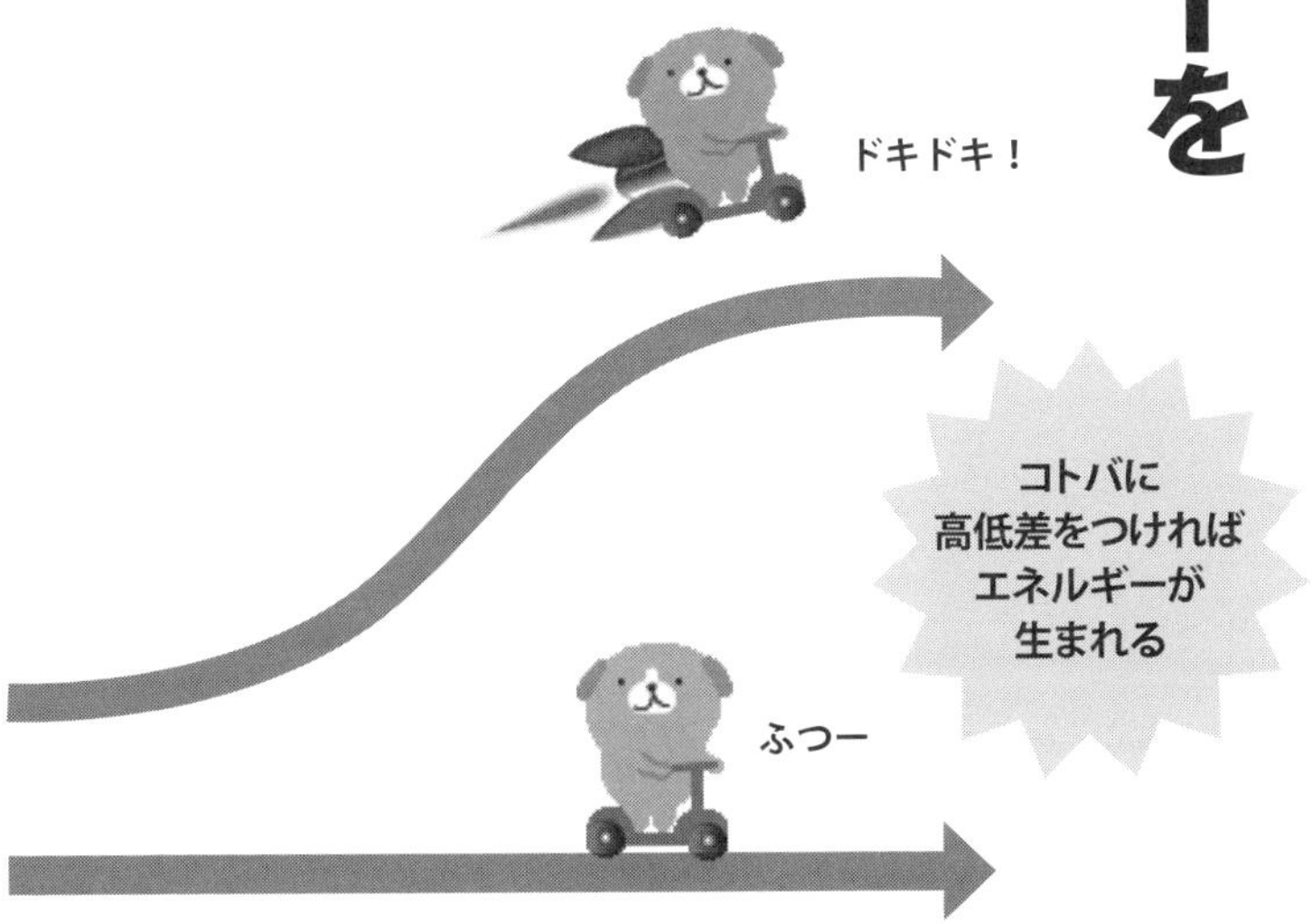
ドキドキ！
コトバに
高低差をつければ
エネルギーが
生まれる
ふつー

高低差とは、そのコトバを見る人、聞く人にとって心を動かすエネルギーです。ジェットコースターと同じで、高低差があればあるほど、人はぐっとくるのです。では具体的にどういうことか、見ていきましょう。

「強いコトバ」をつくる5つの技術

「強いコトバ」をつくる、5つの技術をここで学んでいただきます。これらはどれも、コトバエネルギーをつくり出します。今まで意識したことのない、人の心を動かす世界。その扉を開けましょう。

①サプライズ法

——超カンタンだけど、プロも使っている技術

これは**伝えるコトバに、驚きワードをつくる方法**です。人はサプライズに弱いです。驚きのあるものを見たいと思っているし、体験したいと思っています。バラ100本もらえると知らされていてもらうのではなく、突然「これプレゼント！」と100本のバラをもらいたいのです。ビジネスの発表会でもそうです。新しいクルマの発表に、なぜ布をかけているか？　ホコリが落ちないようにではないですよね。それはサプライズをつくるためです。まったく車に興味のない方でも、クルマから布をとるシーンだけは見てもいいですよね。サプライズがあると、人は注目するのです。もともと興味ないものでも、興味を持たせることができるのです。

例えば、**「サプライズ法」で一番カンタンなのが「!」をつけること。**なんでもないコトバであっても「！」がつくこ

とで、がらりと変わりますよね。

「好き」
「好き！」

当たり前ですが、びっくりマークのついているほうが強いですよね。
別に「好き」でなくても同様です。

「かつどん」
「かつどん！」

と、「！」がついていると、何か主張したいことがあると感じさせ、興味を持たせることができるのです。この他にもサプライズをつくるのには

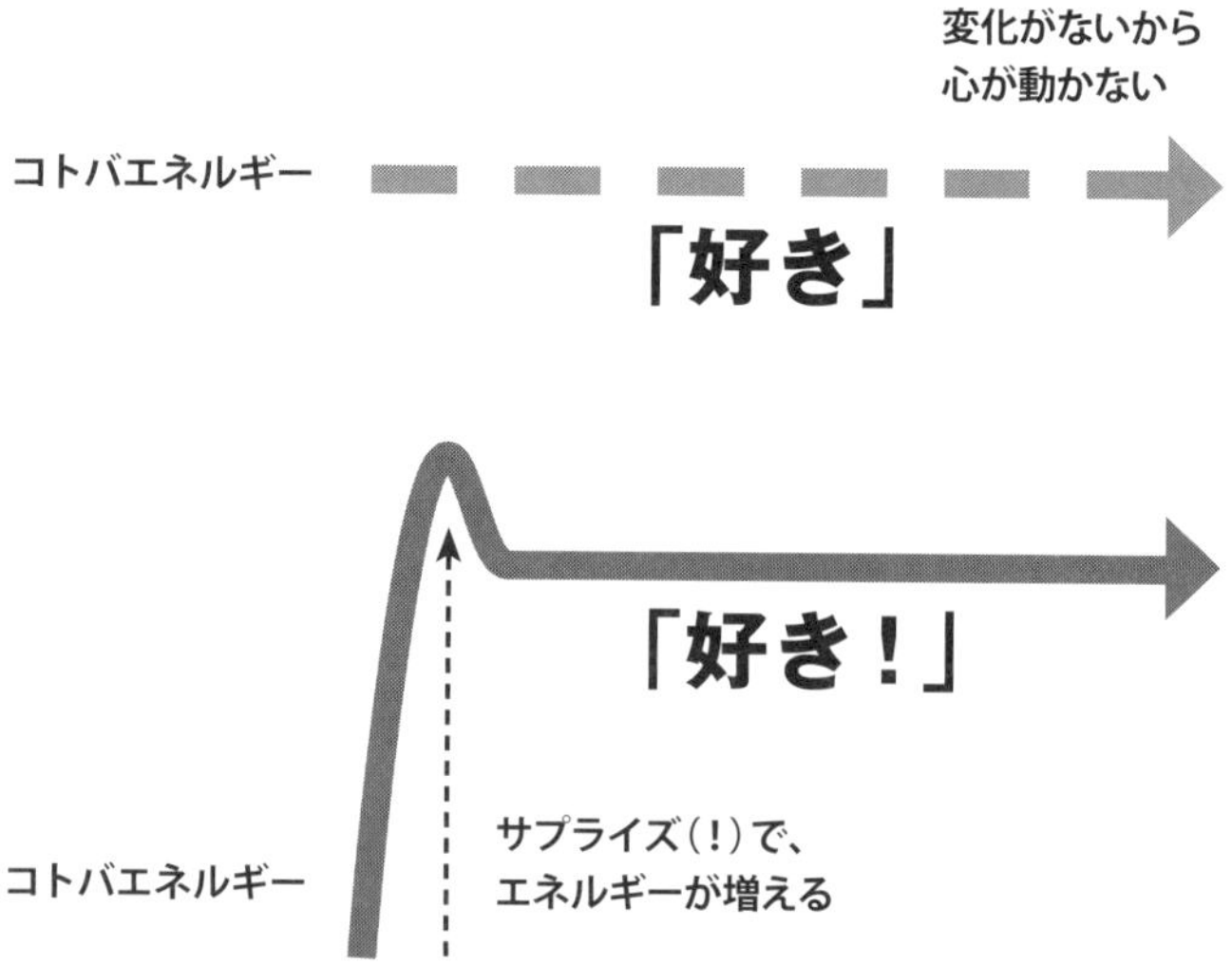

変化がないから
心が動かない
コトバエネルギー
「好き」
コトバエネルギー
「好き！」
サプライズ（！）で、
エネルギーが増える

以下のようなコトバがあります。そのシーンにあわせたワードを選択してください。


「（語尾に）！」

「びっくり、～」

「そうだ、～」

「ほら、～」

「実は、～」

「凄い、～」

「信じられない、～」

「あ、～」


などです。

サプライズ法をつくるのには、10秒です。

①伝えたいコトバを決める。
②適したサプライズワードを入れる。

サプライズ法のつくりかた

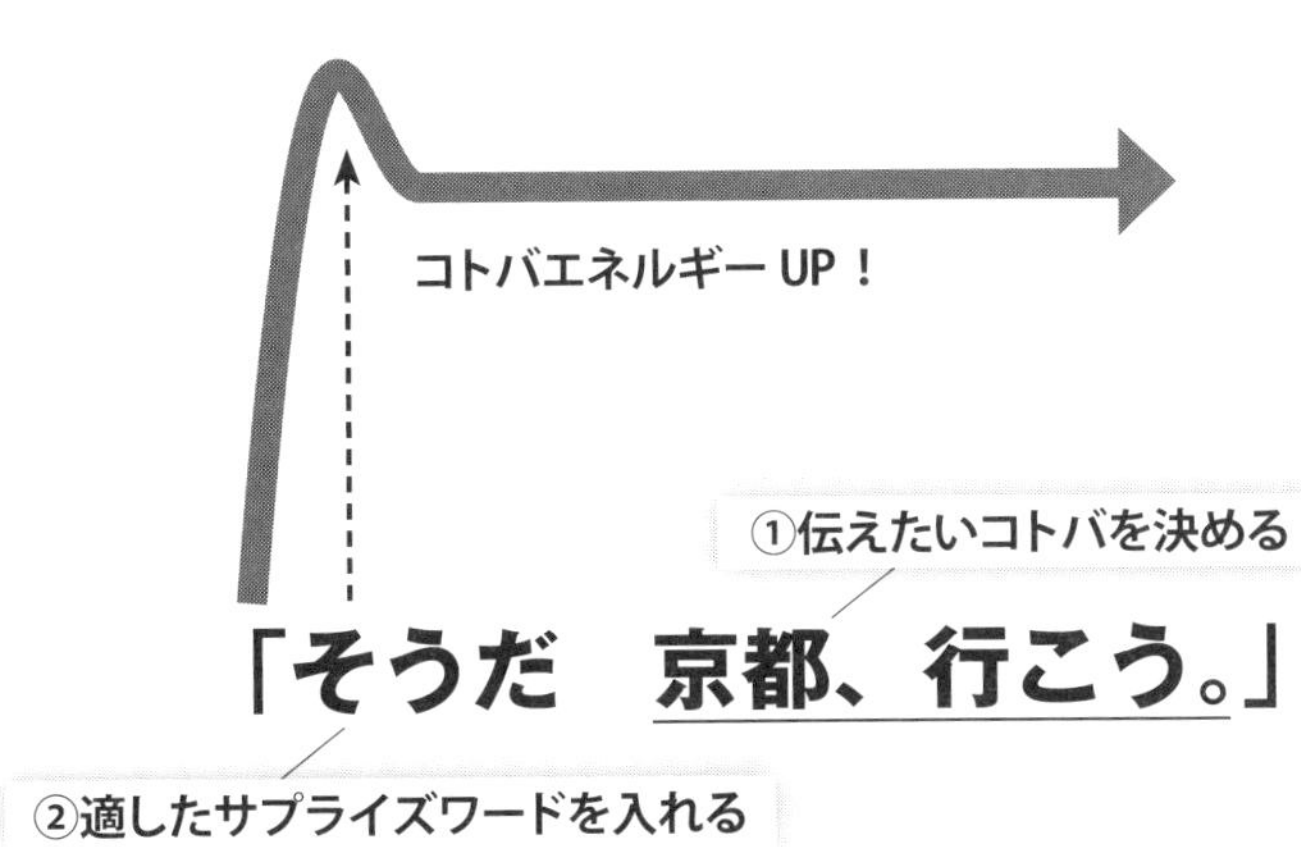

コトバエネルギーUP！
①伝えたいコトバを決める
「そうだ　京都、行こう。」
②適したサプライズワードを入れる

これだけです。

ではここで、もっとも平坦で、あえて心が動かなそうなコトバを使って考えてみましょう。

課題　「今日はいい天気。」をサプライズ法で、強いコトバにしてください。

そう、「今日はいい天気」なんて、何も言っていないのと同じくらい聞き流される、どうでもいいコトバですよね。そんな最も心が動かなそうなコトバを、果たして変えることができるのでしょうか？

このサプライズ法を素直に使って、たとえばこうしてみました。

「びっくり、今日はいい天気。」

単純かもしれませんが、原文の

「今日はいい天気。」

に比べたら印象に残りますよね。コトバエネルギーをグラフで描くと左ページの図のようになります。

この、コトバエネルギーをどう上げるかが、強いコトバをつくるコツなのです。その他にも

「今日はいい天気！」
「実は、今日はいい天気。」
「信じられない、今日はいい天気。」
「あ、今日はいい天気。」

など、極めてカンタンに応用がききます。あなたも今までサプライズワードを使ったことがあると思います。ですが、それを、自分が驚いたときだけに使っていませんでしたか？　ここでの技術は、相手の心を動かしたいときに使うのです。

ここに紹介している以外にも、いくつもサプライズをつくるコトバがあります。そのままで

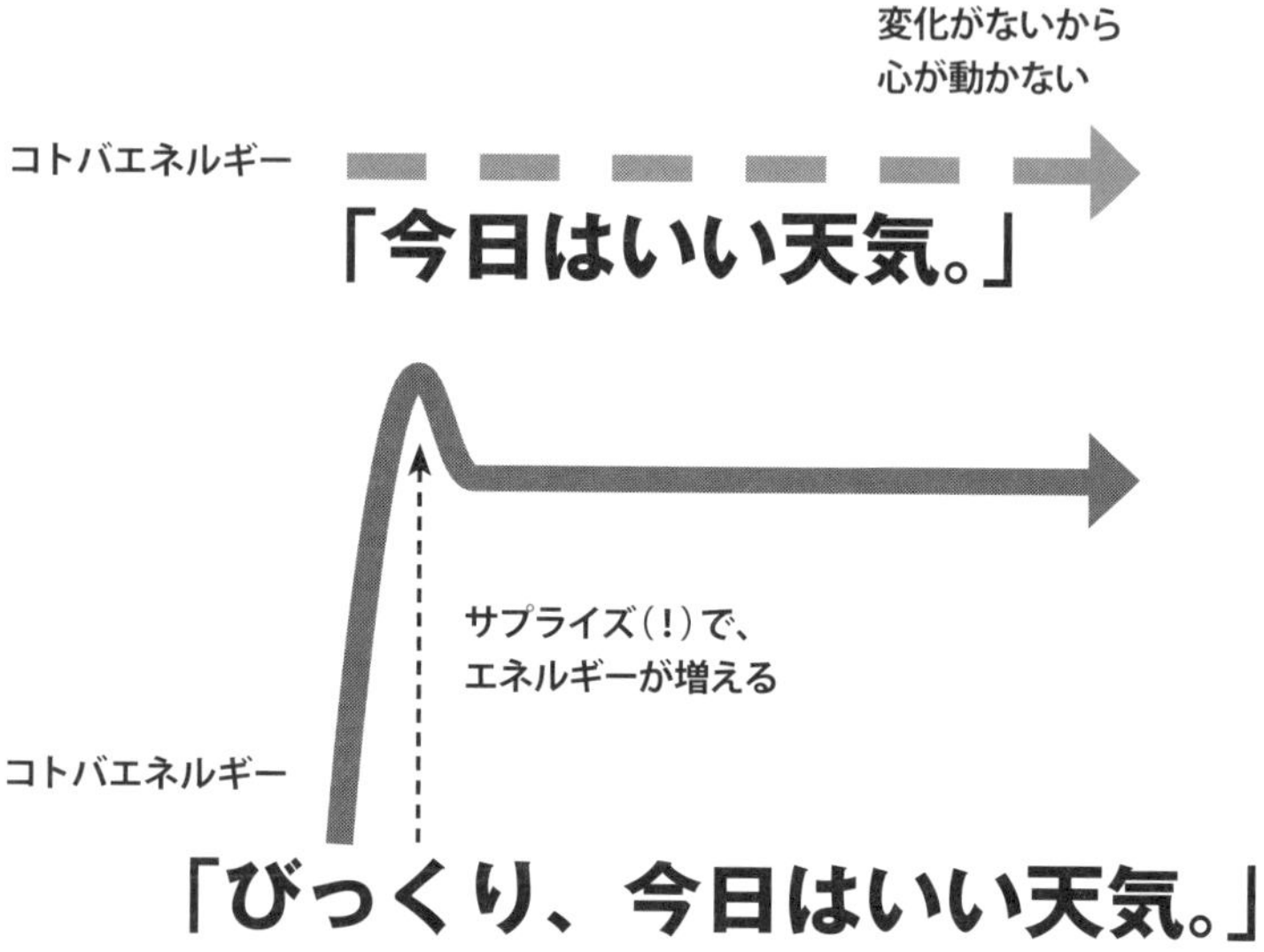
変化がないから
心が動かない
コトバエネルギー
「今日はいい天気。」
サプライズ(!)で、
エネルギーが増える
コトバエネルギー
「びっくり、今日はいい天気。」

もいいですし、慣れてきたら自分のアレンジも入れてみてください。そして、相手の心を動かしたいときに、意識して使ってみてください。

自分の話が単調だなと思ったとき、印象づけたいとき、「なんかインパクトほしいな」に対して、すぐに気軽に使えます。

「サプライズ法」は強いコトバをつくる、基本中の基本です。でもバカにしてはいけません。実はプロもよく使います。例えばこちら。

そうだ 京都、行こう。 JR東海

有名なコトバですよね。もし、サプライズを入れなかったらどうなるでしょう？

京都、行こう。

あまりにも、そのまま。それこそ普通すぎてびっくりです。これだけだったら、感情は動きません。そんな普通のコトバも、コトバエネルギーを加えただけで大化けしたのです。

もうひとつ。

あ、小林製薬

こちらも、ＣＭでおなじみのコトバです。もしサプライズを入れなかったらこうなります。

小林製薬

ただの、社名だけになってしまいました。

このサプライズ法は、効きます。しかも比較的カンタンに使えます。困ったとき、時間のないときはこれです。注意点としては、伝えたい内容がきちんとあるものに使っていただきたいのです。意味もなく連発すると、オオカミ少年になってしまいますから。

実は、私も話や文章がちょっと長くなったときに刺激剤としてつかいます。

ほら、今も（笑）。

サプライズワードを、
自分が驚いたときではなく
相手の心を動かしたいときに使う。

②ギャップ法
——オバマ氏、村上春樹氏も使う心を動かす技術

数々の人たちを感動させてきたコトバがあります。以下のコトバたちはすべてギャップ法を使えばつくることができるコトバです。

「ひとりの人間にとっては小さな一歩だが、人類にとっては偉大な一歩だ」
ニール・アームストロング アポロ11号船長

「事件は会議室で起きてるんじゃない！　現場で起きてるんだ!!」

『踊る大捜査線』青島俊作

「お前の為にチームがあるんじゃねぇ　チームの為にお前がいるんだ!!」

『SLAM DUNK』安西先生

「高く、堅い壁と、それに当たって砕ける卵があれば、私は常に卵の側に立つ」

『エルサレム賞受賞スピーチ』村上春樹

これらのコトバは多くの人たちの胸を打ってきました。それをあなたもつくれると思うとワクワクしませんか？　この本を読んでいるあなたなら、「人を感動させたい」そう思ったことがあると思います。人を感動させられるようなコトバなんて、そうは言えるものじゃなかったですよね。

でも、それは人の心、感情の動かし方を知らなかった今までだから。感情エネルギーを最大限にする方法を知らなかっただけなのです。例えば、今までは、

あなたが好き。

と言っていました。ストレートな言い方です。これを基準に考えてみましょう。

ここに、コトバエネルギーを高められる方法があります。

コトバエネルギー

「あなたが好き。」

それは、**スタート地点を下げ、言いたい意味に、ギャップをつくってあげるのです。**

嫌いになりたいのに、あなたが好き。

あえて、「好き」と反対のワード「嫌い」を使ったことにより、強いギャップが生まれます。すると「好き」に強いコトバエネルギーがのるのです。ここで、たまたま思いついて「嫌い」というコトバを入れたのではありません。意識して、反対のコトバを入れることで、強いギャップをつくりだしたのです。

これは、私がコトバの仕事を始めて悩んでいたときに気づき、強いコトバはつくれると突破のきっかけになった方法です。

もうひとつ例を見てみましょう。

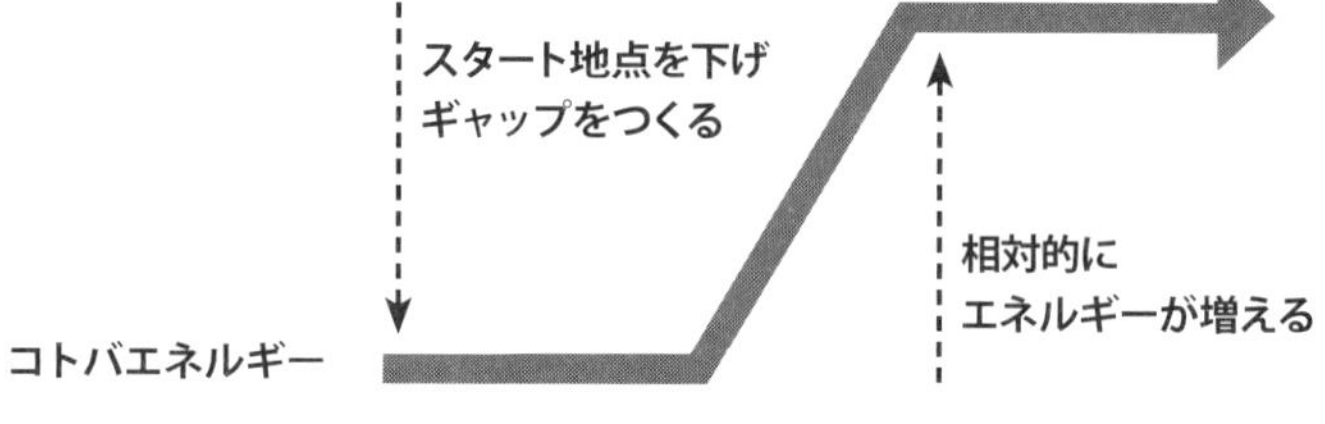
スタート地点を下げ
ギャップをつくる
相対的に
エネルギーが増える
コトバエネルギー

「嫌いになりたいのに、あなたが好き。」

これは私の勝利ではない。あなたの勝利だ。
（オバマ前大統領　就任演説）

人々を熱狂させたオバマ前大統領の就任時のコトバ。彼がもともと言いたかったことは何でしょう？

これは、あなたの勝利だ。

そう言いたいのです。選挙を戦ってきた人々への称賛です。でも彼は、あえて「あなた」の反対側である「私」というコトバをその前に使ってギャップをつくりだしたのです。

これは私の勝利ではない。あなたの勝利だ。

このコトバこそが、人々の感動を最高潮にしたものでした。演説を聞いて、涙を流す人たちもいました。ですが実は、オバマ氏がその場でこのコトバを思いついたのではありません。

コトバエネルギー

「これはあなたの勝利だ。」

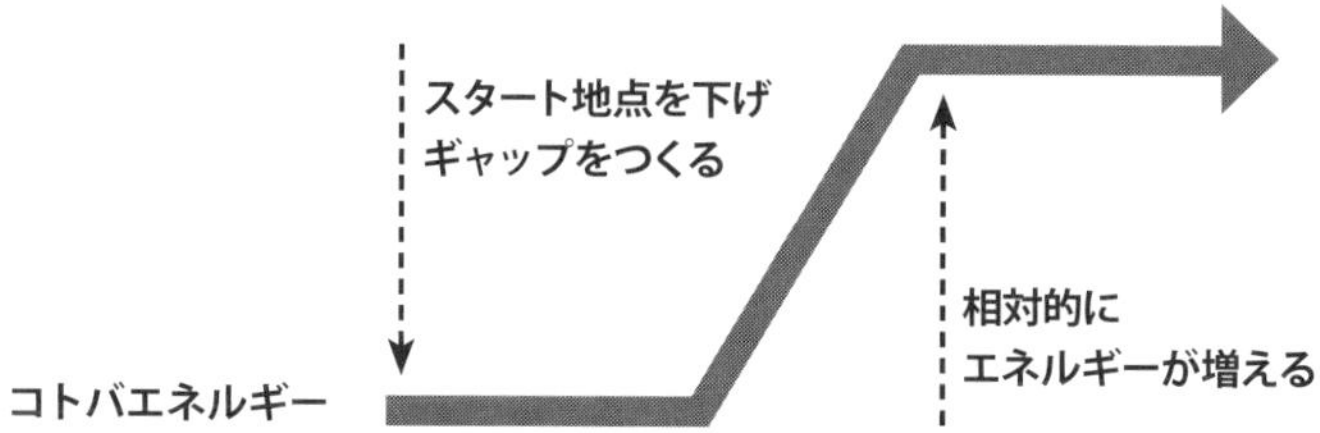
スタート地点を下げ
ギャップをつくる
相対的に
エネルギーが増える
コトバエネルギー

「これは私の勝利ではない。
あなたの勝利だ。」

オバマ氏にはジョン・ファブローという演説ライターがいます。オバマ氏の言いたい趣旨を、より感動的に伝えるコトバにつくりかえたのです。この感動はつくりだされたものなのです。

私は、オバマ氏の演説の批判をしているわけではありません。むしろその逆です。演説に私も感動しました。同時に「上手だな、やられた！」とも思いました。

私は政治について、知見があるわけではありません。ですがコトバの専門家として、日本の政治に圧倒的に足りないのは、「政策」ではなく「感動」だと思っています。人は規則では、動きません。人を動かすのは「感動」です。

感動をつくるには、ただ伝えたいことをそのまま言い放つのではなく、伝えたい内容にギャップをつくることです。順を追って説明しましょう。

AFP／時事

①最も伝えたいコトバを決める。
②伝えたいコトバの正反対のワードを考え、前半に入れる。
③前半と後半がつながるよう、自由にコトバを埋める。

たったこれだけです。カンタンですよね。

実際に考えてみると、さらにわかりやすいので、いっしょに考えてみましょう。

では手順に沿って考えてみましょう。

ギャップ法のつくりかた

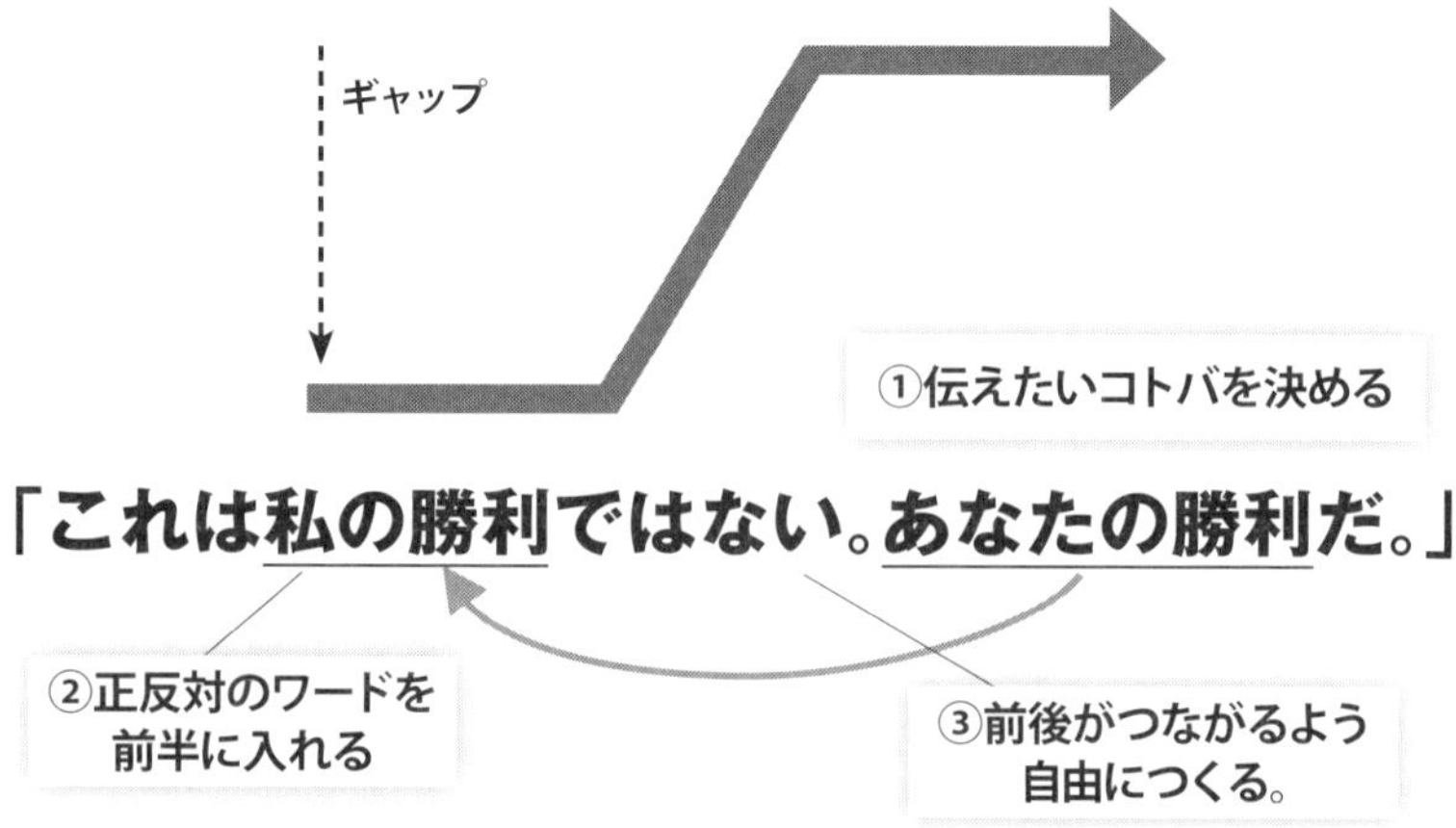
ギャップ
①伝えたいコトバを決める
「これは私の勝利ではない。あなたの勝利だ。」
②正反対のワードを
前半に入れる
③前後がつながるよう
自由につくる。

課題　「私は味方です。」をギャップ法で、強いコトバにしてください。

①最も伝えたいコトバを決める。

↓ここでは、「味方」を最も伝えたいと決めます。

②伝えたいコトバの正反対のワードを考え、前半に入れる。

↓「味方」の正反対のワードはなんでしょう？「敵」ですね。

③前半と後半がつながるよう、自由にコトバを埋める。

↓ここは、日本人の得意な穴埋め問題です。

［　　　］敵［　　　］私は味方です。

例えば次のように書いてみました。

例）　**誰もが　敵　になっても　私は味方です。**

ここは、穴埋めはつながるようになれば、自由です。

ほら、あなたもカンタンにできました。

ギャップ法のつくりかた

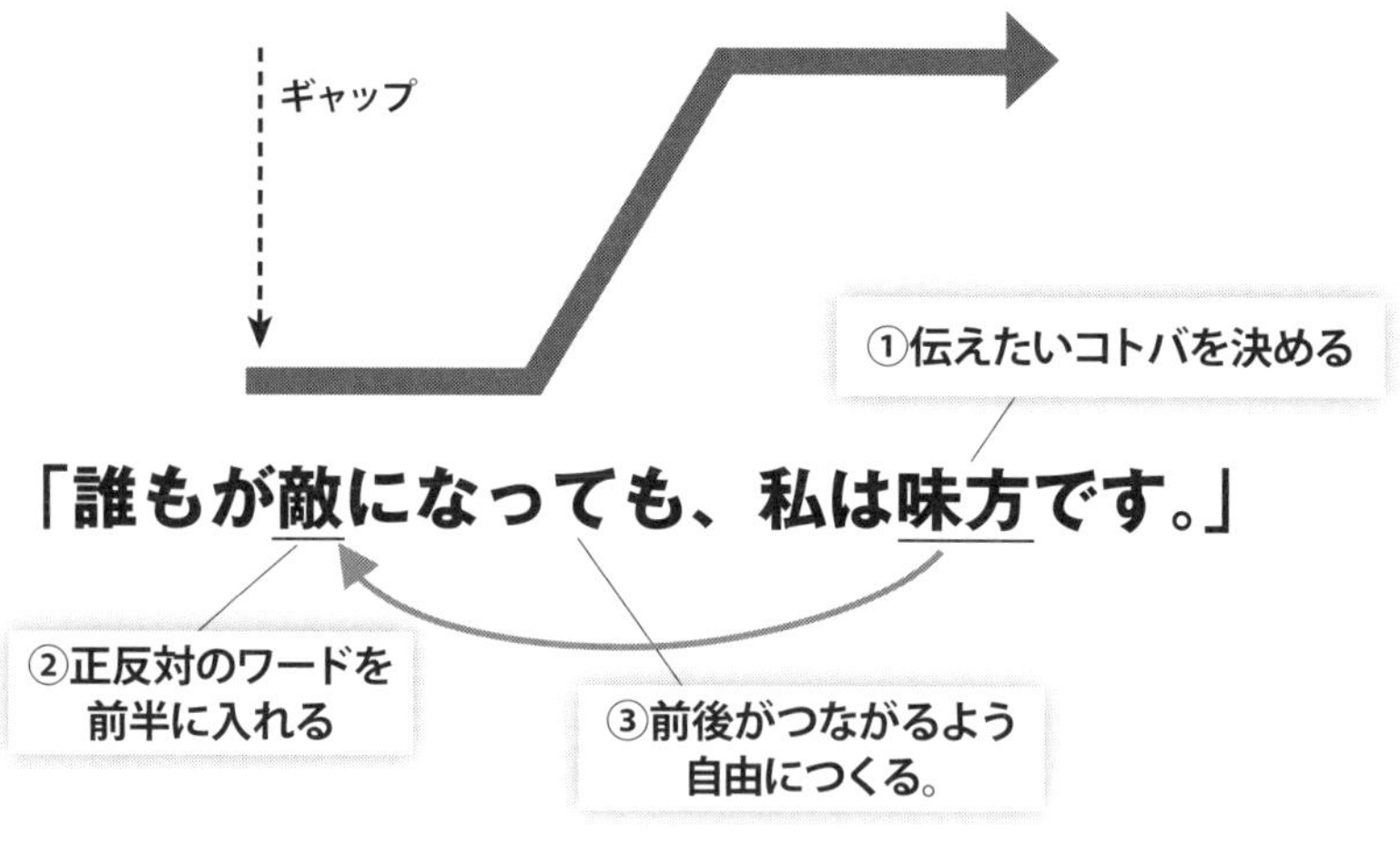
ギャップ
①伝えたいコトバを決める
「誰もが敵になっても、私は味方です。」
②正反対のワードを
前半に入れる
③前後がつながるよう
自由につくる。

もうひとつ見てみましょう。２つほど頭の中で考えてみれば、理解できるものです。理解してしまえば、本当にカンタンにできますよ。

課題　「ここのラーメン旨い。」をギャップ法で、強いコトバにしてください。

手順に沿って考えてみましょう。

①最も伝えたいコトバを決める。
↓ここでは、「旨い」を最も伝えたいと決めます。
②伝えたいコトバの正反対のワードを考え、前半に入れる。
↓「旨い」の正反対のワードはなんでしょう？「まずい」ですね。
③前半と後半がつながるよう、自由にコトバを埋める。
↓ここは、みなさん得意ですよね。穴埋め問題です。

□　まずい　□　ここのラーメン旨い。

例えば次のように書いてみました。

例）　**他の店が　まずく感じるほど　ここのラーメン旨い。**

穴埋めはつながるようになれば、自由です。ほら、カンタンにできました。「語尾」、「てにをは」の変更は、自由です。どんどんやってしまってください。慣れてくればくるほど、ギャップ法の構造はまもりながらも、自由につくっていけるようになるでしょう。

ギャップ法は、この本で、ぜひみなさんに身につけていただきたいことのひとつです。日本語だけでなく、世界中にある感動的なコトバの多くがこの手法を使っています。

ギャップ法のつくりかた

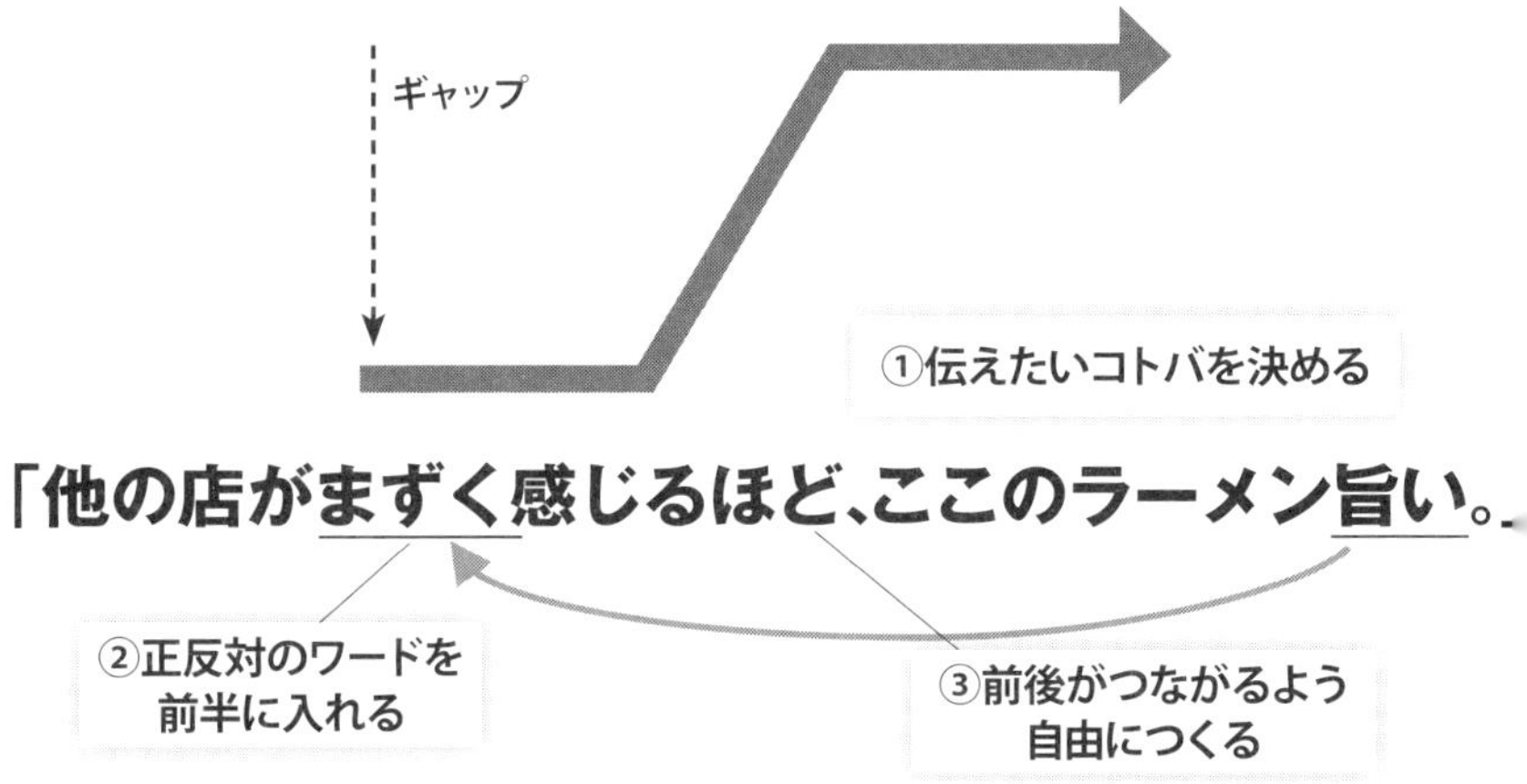
ギャップ
①伝えたいコトバを決める
「他の店がまずく感じるほど、ここのラーメン旨い。」
②正反対のワードを前半に入れる
③前後がつながるよう自由につくる

ギャップ法を使用したコトバで、私が最も心ふるえたものをここで紹介します。これは、アメリカのボブ・ムーアヘッドという牧師さんがオリジナルを書き、ネット上で広まり都市伝説のようになった文章です。数々のギャップ法が連続し、これでもかというくらい心が揺さぶられまくります。私も、はじめて読んだときはあまりの感動に、しばらく動けませんでした。とにかく見てください。

この時代に生きる　私たちの矛盾
ビルは空高くなったが　人の気は短くなり
高速道路は広くなったが　視野は狭くなり
お金を使ってはいるが　得る物は少なく
たくさん物を買っているが　楽しみは少なくなっている
家は大きくなったが　家庭は小さくなり
より便利になったが　時間は前よりもない
たくさんの学位を持っても　センスはなく

知識は増えたが　決断することは少ない
専門家は大勢いるが　問題は増えている
薬も増えたが　健康状態は悪くなっている

飲み過ぎ吸い過ぎ浪費し　笑うことは少なく
猛スピードで運転し　すぐ怒り　夜更かしをしすぎて　起きたときは疲れすぎている
読むことは稀で　テレビは長く見るが　祈ることはとても稀である
持ち物は増えているが　自分の価値は下がっている
喋りすぎるが　愛することは稀であるどころか憎むことが多すぎる

生計のたてかたは学んだが　人生を学んではいない
長生きするようになったが　長らく今を生きていない
月まで行き来できるのに　近所同士の争いは絶えない
世界は支配したが　内世界はどうなのか
前より大きい規模のことはなしえたが　より良いことはなしえていない

空気を浄化し　魂を汚し
原子核を分裂させられるが　偏見は取り去ることができない
急ぐことは学んだが　待つことは覚えず
計画は増えたが　成し遂げられていない
たくさん書いているが　学びはせず
情報を手に入れ　多くのコンピューターを用意しているのに
コミュニケーションはどんどん減っている
ファースト・フードで消化は遅く
体は大きいが　人格は小さく
利益に没頭し　人間関係は軽薄になっている
世界平和の時代と言われるのに　家族の争いはたえず
レジャーは増えても　楽しみは少なく
たくさんの食べ物に恵まれても　栄養は少ない
夫婦でかせいでも、離婚も増え

家は良くなったが 家庭は壊れている
忘れないでほしい 愛するものと過ごす時間を
それは永遠には続かないのだ
忘れないでほしい すぐそばにいる人を抱きしめることを
あなたが与えることができるこの唯一の宝物には 1円もかからない
忘れないでほしい あなたのパートナーや愛する者に「愛している」
と言うことを 心を込めて
あなたの心からのキスと抱擁は傷をいやしてくれるだろう
忘れないでほしい もう逢えないかもしれない人の手を握り
その時間を慈しむことを
愛し 話し あなたの心の中にあるかけがえのない思いを分かち合おう
人生はどれだけ呼吸をし続けるかで決まるのではない

どれだけ心のふるえる瞬間があるかだ

ボブ・ムーアヘッド原作
佐々木　圭一　訳

ギャップをつくれば
感動をつくることができる。

③赤裸裸法

――あなたのコトバを、プロが書いたように変える技術

あなたの脳裏に焼きついて離れないコトバがあると思います。

「上を向いて歩こう　涙がこぼれないように」

『上を向いて歩こう』　永六輔

「息を切らしてさ　駆け抜けた道を」

『終わりなき旅』　Mr.Children

「朝、目が覚めるとなぜか泣いている」

『君の名は。』　新海誠

「眠気で重いまぶたをゆっくり持ち上げた瞬間、眼球が飛び出るかと思うくらいの衝撃を受けた」

『夢をかなえるゾウ』水野敬也

これらはすべて「赤裸裸法」でできています。**「赤裸裸法」はあなたのコトバに、体温を感じさせ、ときに詩人のようなニュアンスをつくりだすことのできる方法**です。歌詞や映画のセリフにも使われます。いつも、自分のコトバが平凡だな、と思うことがあるとしたら、それがいきなりイキイキとした生命力あふれるコトバに変わります。自分でも恥ずかしいくらいに。

赤裸裸法は、自分の肌感覚に素直になる方法です。例えば

くちびるがふるえてる。あなたが好き。

と言うと、自分の心の中からの赤裸裸なコトバに感じますよね。伝えた相手の心にぐっとくる言い回しだと思います。これにも、つくりかたがあります。見てみましょう。もともとのコトバはこちらです。

あなたが好き。

赤裸裸法で、このコトバを料理してみましょう。

赤裸裸法は、ふだん意識していない、自分の感覚に向き合います。人間としてそれがあたりまえだから、今までコトバにしなかったものを、あえてコトバにするのです。「あなたが好き」と思っているとき、あなたのカラダはどうなっているでしょう？　こたえは、あなたのカラダに聞けばいいのです。そしてありのままコトバにすればいいのです。

人に「好き」と言うときに、あなたのカラダはどう反応していますか？　まずは顔まわりで考えてみましょう。


顔はどうなりますか？　「赤くなる」

のどはどうなりますか？　「カラカラになる」

くちびるはどうなりますか？　「ふるえる」

コトバエネルギー ━ ━ ━ ━ ➡
「あなたが好き。」

この、どれを使ってもいいのです。いつもはコトバにしていない赤裸裸な感覚をコトバにするだけで、コトバはイキイキするのです。

「あなたが好き」の前に入れるだけで、こんなに体温を感じるコトバに変わるのです。どれを入れたとしても相手をぐっと惹き付けますよね。

こういうコトバは、天から降ってくるものと、私自身も思っていました。ですが、きちんとあるのです。つくり方のレシピが。天才的な文章を書く人は、突然ひらめき、こういうコトバを書くこともあるでしょう。ですが、ひらめかなくてもつくれるのです。レシピを知っていれば。

どうやって赤裸裸なコトバをつくれるか、順を

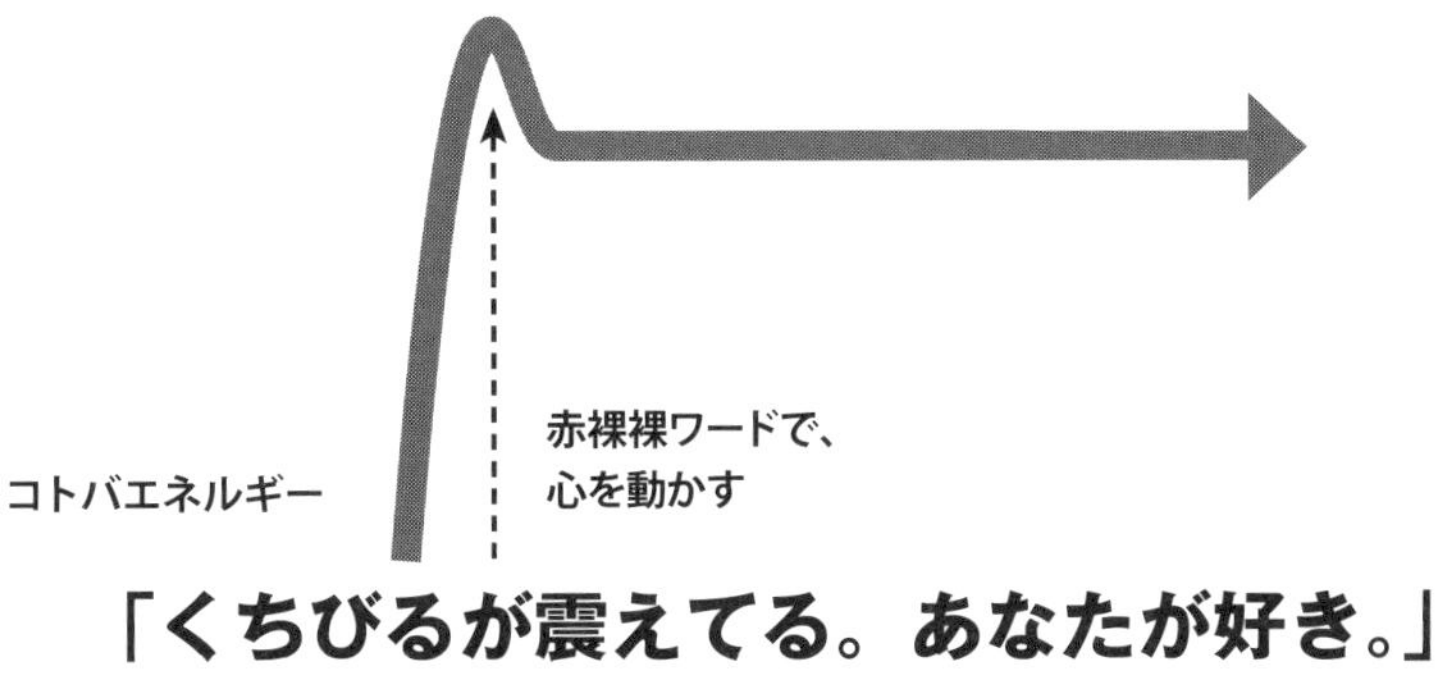
コトバエネルギー
赤裸裸ワードで、
心を動かす
「くちびるが震えてる。あなたが好き。」

追って説明しましょう。

①最も伝えたいコトバを決める。
②自分のカラダの反応を赤裸裸にコトバにする。
③赤裸裸ワードを、伝えたいコトバの前に入れる。

赤裸裸法は②がポイントです。普段は感じてもコトバにしなかったことを、あえて**赤裸裸にコトバにする**のです。以下の質問を選んで答えると、容易につくれるでしょう。

顔は？
のどは？
くちびるは？
息づかいは？
目は？
うぶ毛は？
肌は？

頭の中は？
手のひらは？
指の先は？
血のめぐりは？

チェックポイントは、**ふだん口にしないたぐいのコトバであること**です。
例えば顔は、「あなたが好き」だと赤くほてりますよね。
手順に沿ってつくるだけで、体温のある心のこもったコトバが完成します。
ではこの手順に沿って、例題をいっしょに考えてみましょう。

赤裸裸法のつくりかた

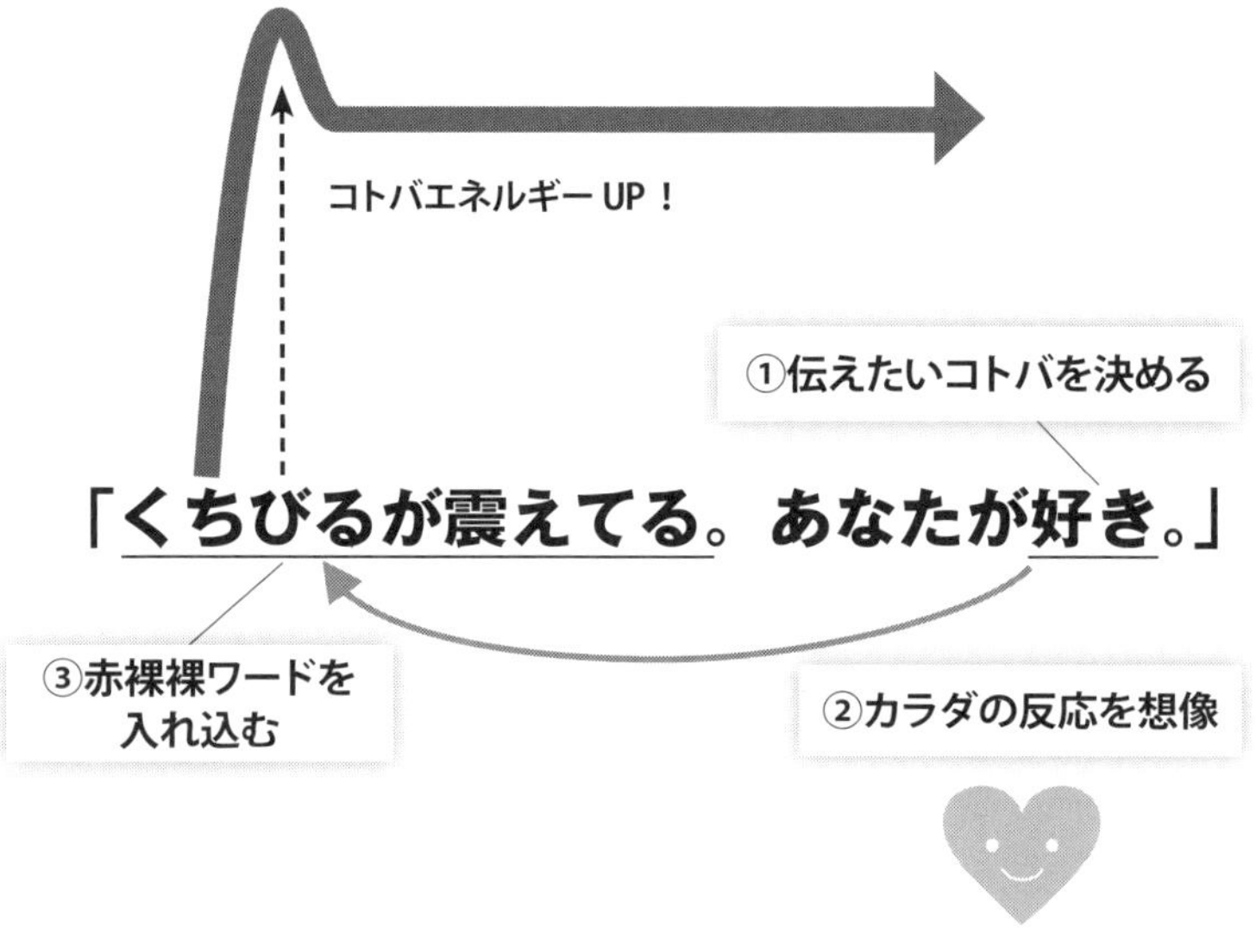
コトバエネルギーUP！
①伝えたいコトバを決める
「くちびるが震えてる。あなたが好き。」
③赤裸裸ワードを入れ込む
②カラダの反応を想像

課題　「お腹がすいた。」を赤裸裸法で、強いコトバにしてください。

①最も伝えたいコトバを決める。

↓ここでは、そのまま「お腹がすいた。」ですね。

②自分のカラダの反応を赤裸裸にコトバにする。

↓お腹がすいたときに起こる、自分のカラダの反応はどんなでしょう？
頭の中は？　何も考えられなくなりますよね。
お腹は？　ぐっと締めつけられる感じになりますよね。
極端にお腹がすけば、くちびるがヒリヒリもします。

③赤裸裸ワードを、伝えたいコトバの前に入れる。

↓入れてみましょう。

「何も考えられない。お腹がすいた。」

「お腹がぐっと締めつけられる。お腹がすいた。」

「くちびるがヒリヒリ。お腹がすいた。」

となります。どれにしても、ホントお腹がすいてしょうがないって感じが出ますよね。しかも書いたあなたのコトバは、人間味があって、素敵にうつります。これらのコトバは、レシピなくして、はじめから生みだすのは相当なひらめきが必要です。

ですが、あなたはいま、いつでもそれをつくれるレシピを手に入れたのです。

赤裸裸法のつくりかた

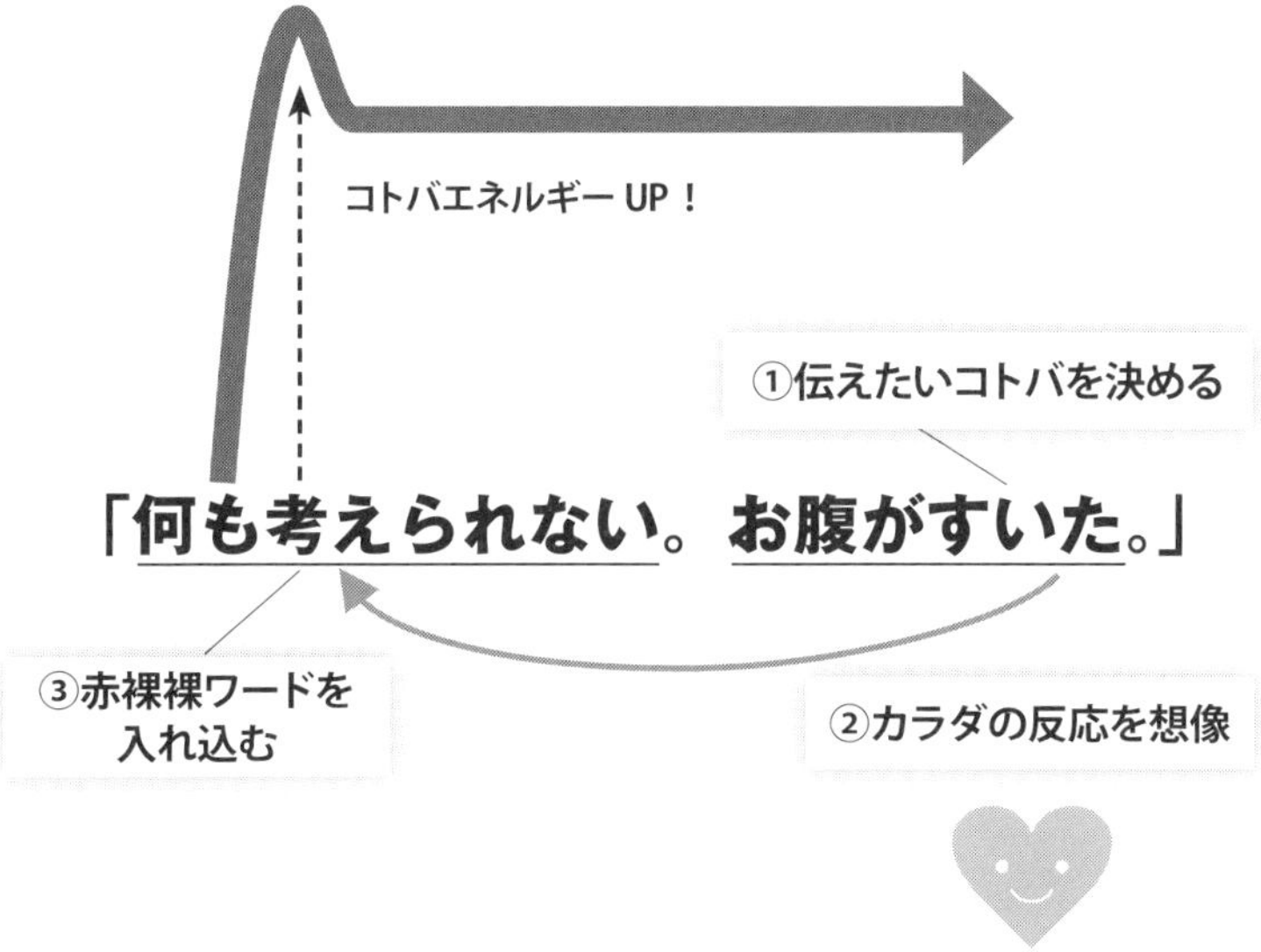
コトバエネルギーUP！
①伝えたいコトバを決める
「何も考えられない。お腹がすいた。」
③赤裸裸ワードを
入れ込む
②カラダの反応を想像

即席！赤裸裸法

初めてのあなたのために、幅広く、すぐに使える赤裸裸法の例を用意しました。これらはすべて、広く心が動いたときに起こる赤裸裸ワードです。そのまま使えば、即席で強いコトバがつくれます。

顔は？　↓顔が真っ赤、〜。
のどは？　↓のどがカラカラ、〜。
くちびるは？　↓くちびるが震えてる、〜。
息づかいは？　↓息ができない、〜。
目は？　↓目が合わせられない、〜。
うぶ毛は？　↓全てのうぶ毛が立っている、〜。
肌は？　↓汗ばんでいる、〜。
頭の中は？　↓頭の中がまっ白、〜。

手のひらは？　↓手にじわり汗が、〜。
指の先は？　↓指先がじんじんする、〜。
血のめぐりは？↓じぶんの鼓動がわかる、〜。

例えば、

「のどがカラカラ、感動の映画でした。」
「思い出しても顔が真っ赤になるくらい、素敵な夜でした。」

のように使ってみてください。時間のないときや、慣れないうちは、この表のまま使うのが便利だと思います。慣れてきたら自分のカラダで感じるコトバをつくってみてください。①②③の手順でカンタンにできますから。即席！赤裸裸法を使っているうちに、「自分のカラダだったらどんな反応だろう？」と考えるようにしてください。この本はすぐ使えるだけでなく、技術をあなたのモノにすることが目的ですから。

赤裸裸ワードを入れれば、
生命力あふれるコトバに変わる。

④リピート法
——相手の記憶にすりこみ、感情をのせる技術

何かを暗記したいときってどうしますか？　くり返し口に出したり、紙に書いたりしますよね。これは自分にだけじゃなく、相手にも有効です。リピートして聞かせることで、聞き手の記憶にすりこむことができるのです。例えば幼少期に聞いた童謡が今でもすらすら出てきますよね。もうはるかなる昔なのに覚えていますよね。

さいた　さいた　チューリップのはなが～♪
桃太郎さん　桃太郎さん　お腰につけた～♪
まいにち　まいにち　ぼくらはてっぱんの～♪
ドラえもん　ドラえもん　ホンワカパッパ　ホンワカパッパ～　ドラえもん♪

これらは全て、リピートでつくられています。当時両親が話していたことは覚えていなくて

も、リピートでつくられた童謡は、はっきりと覚えているのです。それはたまたまではありません。記憶に残るように歌詞が構成されているのです。作詞家が意識して書いたかどうかはわかりませんが、結果として時代を超えて残っている童謡は、ほぼ全てリピートを使っています。

もし、リピートがなく

さいた　チューリップのはなが〜♪

だけだったとしたら、ここまでのメジャー曲にはならなかったと思いませんか？

さいた　さいた　チューリップのはなが〜♪

このリピートがあったから何世代にもわたって歌い継がれているのです。記憶に残すことにくわえて、「さいた　さいた」と2回くり返すことでチューリップがさいたことへの喜びが伝わってきます。つまりリピートすることで感情をのせることができるのです。

まいにち　ぼくらはてっぱんの〜♪

ではなく

まいにち　まいにち　ぼくらはてっぱんの〜♪

とくり返されているから、今の状況に飽き飽きしている感情を入れることができるのです。

記憶に残すことと、感情をのせること。その２つを併せ持つことができるのがリピート法です。

実は、現代でも名曲と呼ばれるその95％がリピートでつくられています。

遠く　遠く　離れゆくエボシライン〜♪（サザンオールスターズ『希望の轍』）

LOVE LOVE 愛を叫ぼう　愛を呼ぼう〜♪（Dreams Come True『LOVE LOVE LOVE』）

どんなときも　どんなときも〜♪（槇原敬之『どんなときも。』）

会いたかった　会いたかった　会いたかった　Yes!（AKB48『会いたかった』）

あなたの好きな曲を思い浮かべてみてください。それらのほとんどがリピートを使っているはずです。リピート法は日常コミュニケーションでも絶大な効果があります。例えば

「うまい」

より

「うまい　うまい」

のほうが、コトバエネルギーがありますよね。「うまい」という感情が強く伝わってきます。

コトバがリピートすると、心からそう思っているように伝わり、強く印象的に伝わります。

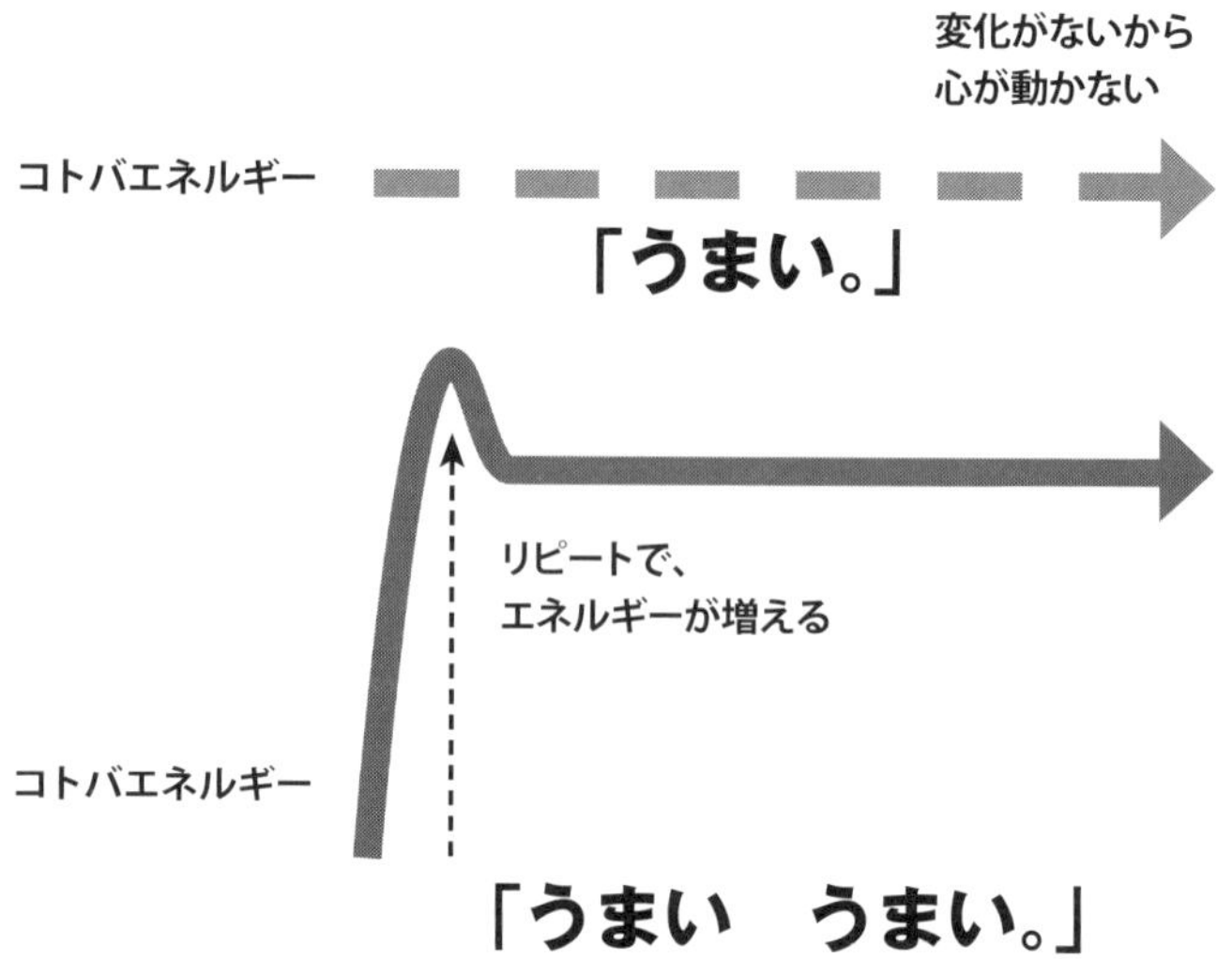

変化がないから
心が動かない
コトバエネルギー
「うまい。」
リピートで、
エネルギーが増える
コトバエネルギー
「うまい　うまい。」

誰でも知っているリンカーン大統領の有名な演説があります。

「人民の、人民による、人民のための政治」

これがなぜ歴史を超えて、ここまで世界中に伝わったのでしょう？ もちろん内容が素晴らしかったこともあります。だけど、内容が素晴らしい演説は山のようにあり、その中でもこちらが世界で知られている演説となったのは、リピート法を使って、聞く人の記憶にすりこみ、感情をゆさぶったからです。

リピート法をつくるのにも2つのステップがあります。

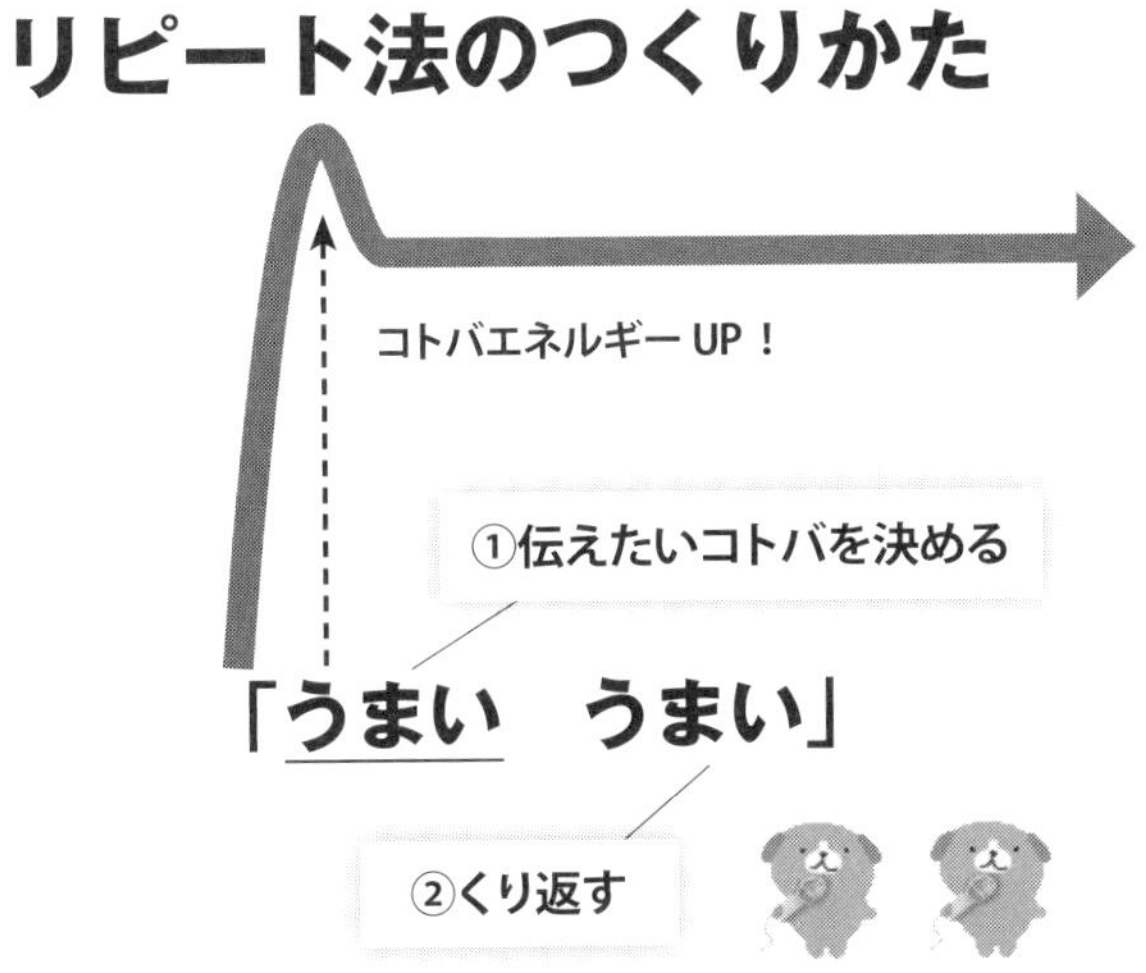
リピート法のつくりかた
コトバエネルギーUP！
①伝えたいコトバを決める
「うまい　うまい」
②くり返す

①伝えたいコトバを決める。
②くり返す。

これだけです。リピート法は「強いコトバ」をつくる技術で最もカンタンな方法といえます。

ではこの手順に沿って、例題をいっしょに考えてみましょう。

課題「今日は暑い。」をリピート法で、強いコトバにしてください。

①最も伝えたいコトバを決める。
↓ここでは、「暑い。」とします。
②くり返す。
↓「暑い」をくり返します。

「今日は暑い、暑い。」

非常にカンタンですね。もともとの「今日は暑い。」だと、なんとなく感想を言っただけのようですが、「今日は暑い、暑い。」となると額に汗をかいていそうで、上着もぬぎたくなるようなニュアンスが出ると思います。より「暑い」が強く伝わるのです。そして、本音として心から言っている感じも伝わります。

リピート法のつくりかた

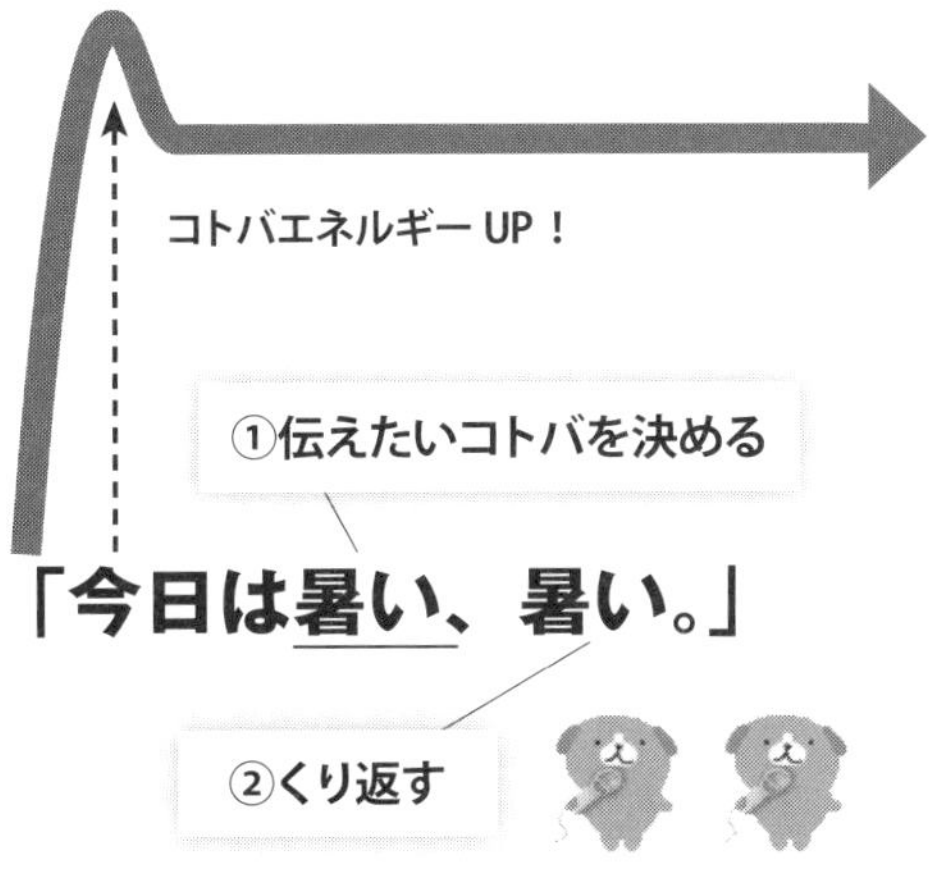
コトバエネルギーUP！
①伝えたいコトバを決める
「今日は暑い、暑い。」
②くり返す

リピートをすれば
記憶に残し、感情を
のせることができる。

⑤クライマックス法
──寝ている人も目をさます、強烈なメッセージ技術

人の集中力は、20分といわれています。ですから授業や会議の後半に、集中力がとぎれてしまうのは仕方がありません。「眠くなるのは、やる気がないからだ」という精神論はナンセンスです。もともと人間はそこまで集中力を保つことができないのです。その一方で、スピーカー側からすると自分がせっかく話しているのに、相手に眠られてしまうほど屈辱的なことはないですよね。この「クライマックス法」は、とぎれかけた相手の集中力を戻し、あなたの話にもういちど食いつかせることができる技術です。私は大学で講座を持っていますが、学生は正直です。つまらなければすぐに寝ます。講義の後半になると聞き手の疲労度を見て、私はこのコトバを使います。

「これだけは覚えてほしいのですが、～」

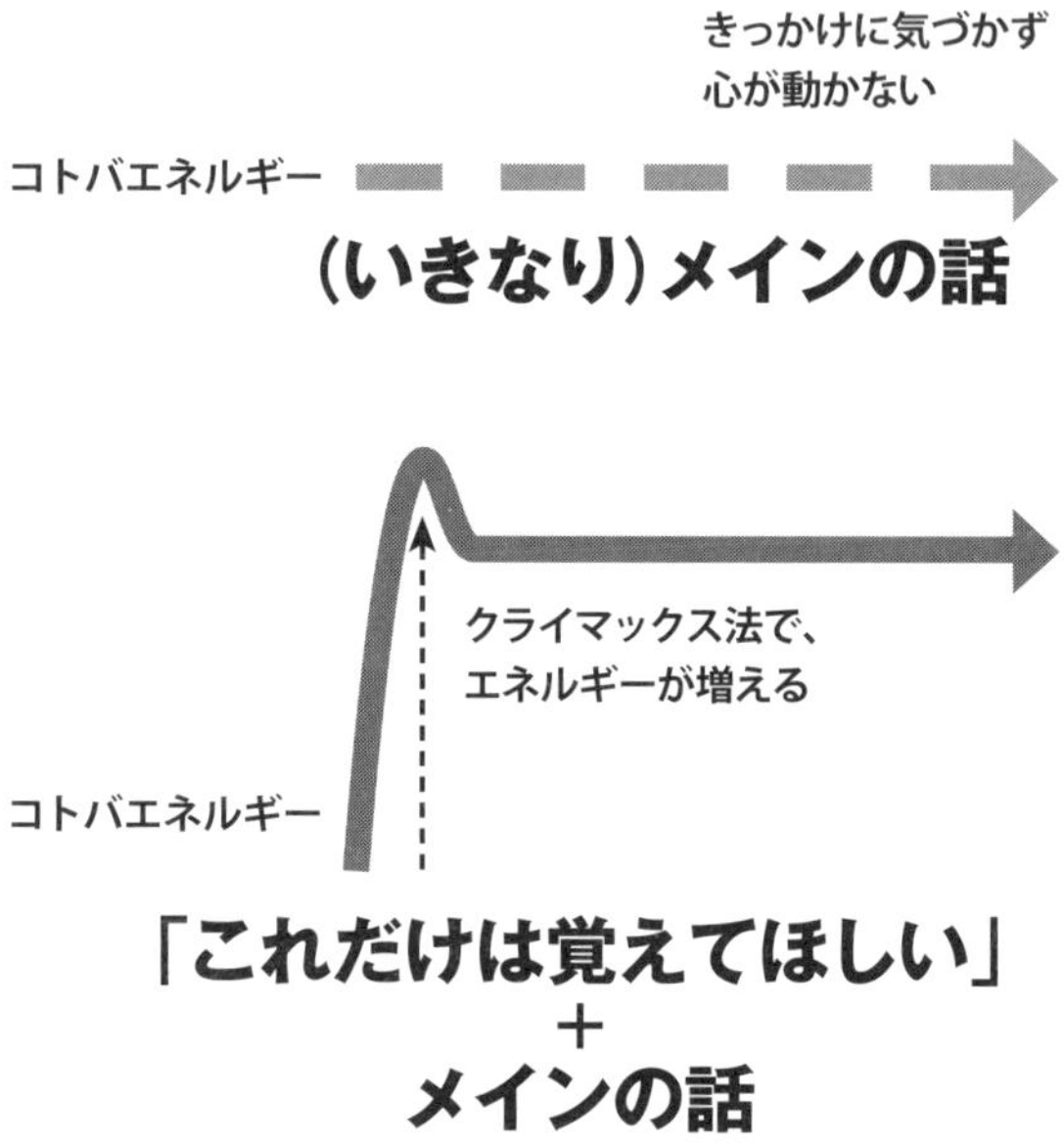
きっかけに気づかず
心が動かない
コトバエネルギー
（いきなり）メインの話
クライマックス法で、
エネルギーが増える
コトバエネルギー
「これだけは覚えてほしい」
＋
メインの話

もちろん覚えてほしいポイントでもあるのですが、実は、聞き手の集中スイッチを入れ直すことが主の目的で使います。クライマックス法は、あなたが伝えたいと思っている相手に「これから重要な話が始まるんだ、聞いておかなくては！」と思わせて集中力をこちらに向かせる技術です。

このクライマックス法は、ロケット発射直前の「3、2、1」と同じです。そのアナウンスがあるといやが上にも期待が高まりますよね。カウントダウンが聞こえたとして、その方向を向かないでいられる人は、非常に数少ないはずです。今までは、ロケット（伝えたい話）をカウントダウンなしに打ち上げていた方も多いと思います。相手とするなら、知らない間、他のことを考えている間にロケットが飛んでいたということもあるでしょう。事前にカウントダウンを伝えてあげることで、あなたの伝えたいことが的確に集中力をもって聞いてもらえるようになります。

この他にも、クライマックスをつくるのには以下のようなコトバがあります。

「これだけは覚えてほしいのですが、〜」

「ここだけの話ですが、〜」
「他では話さないのですが、〜」
「誰にも言わないでくださいね、〜」
「これだけは、忘れないでください、〜」
「一言だけつけくわえますと、〜」
「ワンポイント・アドバイスですが、〜」
「3つのコツがあります、1つ目が〜」

などです。

クライマックス法をつくるのには、2つのステップがあります。

①いきなり「伝えたい話」をしない。
②クライマックスワードから始める。

クライマックス法のつくりかた

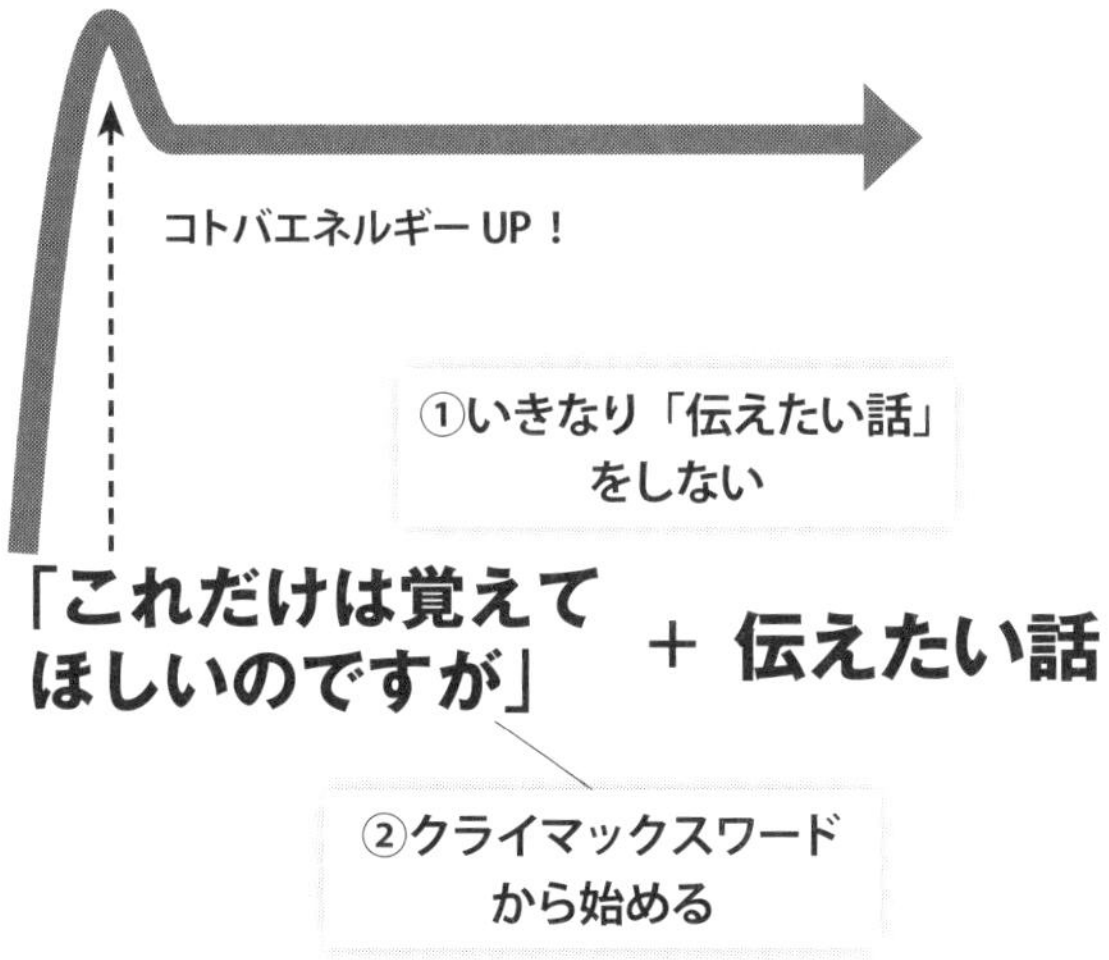
コトバエネルギーUP！
①いきなり「伝えたい話」をしない
「これだけは覚えてほしいのですが」
＋ 伝えたい話
②クライマックスワードから始める

課題　「私はカレーが好きです。」をクライマックス法で、強いコトバにしてください。

①いきなり「伝えたい話」をしない。

↓ここでは、言いたくてもぐっとこらえます。

②クライマックスワードから始める。

↓「ここだけの話ですが」を選んでみました。

「ここだけの話ですが、私はカレーが好きです。」

もともとの「私はカレーが好きです。」だけだと、無意味な独り言のようですが、「ここだけの話ですが、私はカレーが好きです。」となるとその独り言も、貴重な情報のように聞こえてきます。ぼーっと聞き流している人がいたとしても、この部分だけは話し手のコトバが、印象

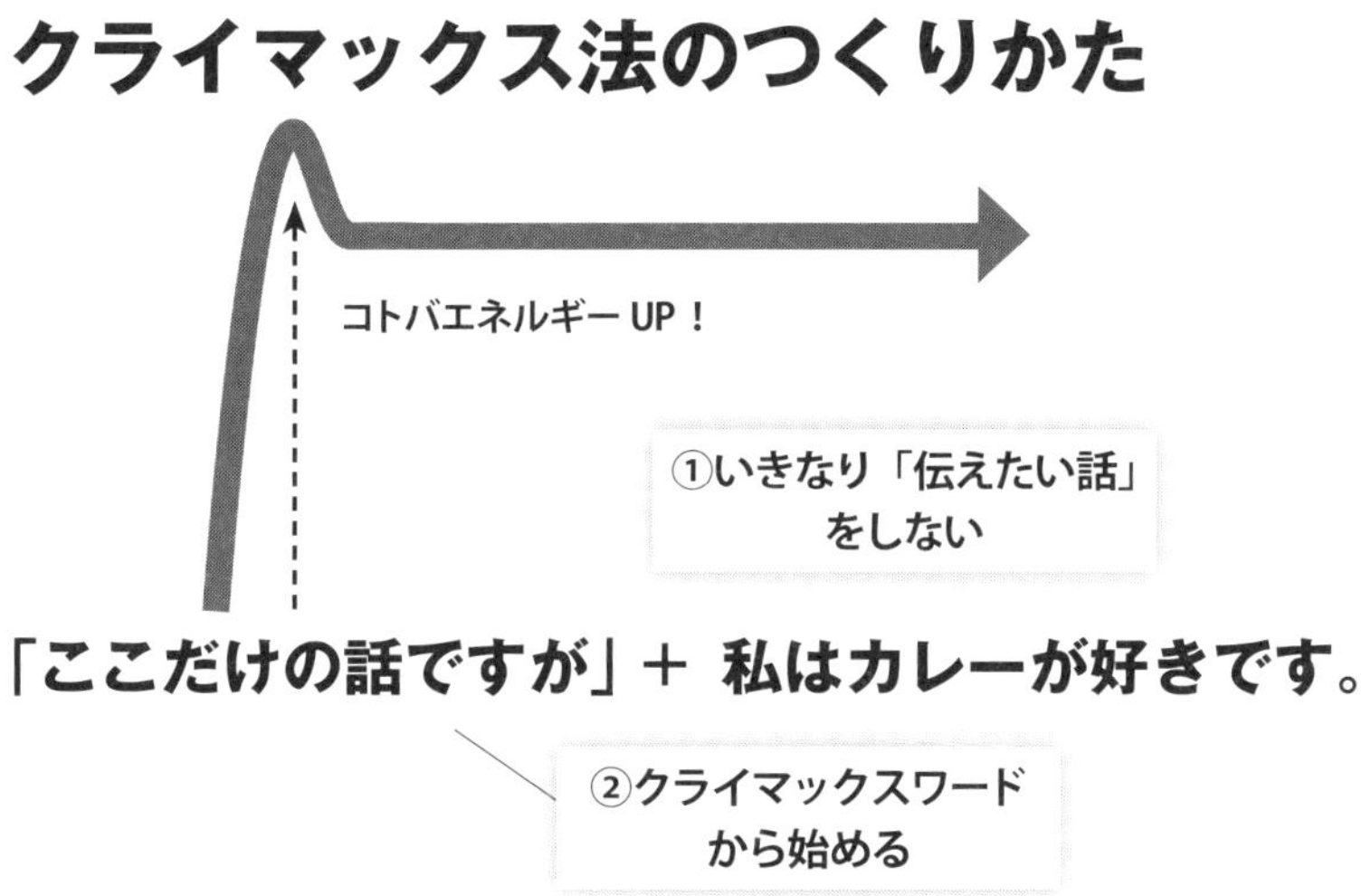
クライマックス法のつくりかた
コトバエネルギーUP！
①いきなり「伝えたい話」をしない
「ここだけの話ですが」＋ 私はカレーが好きです。
②クライマックスワードから始める

に残ったはずです。

ここだけの話ですが、私が「大学で教えてみませんか」とお誘いをうけたとき、嬉しかった一方で実はかなり不安でした。なぜなら、私が学生のときにしていたように、授業で寝られたらどうしようと。話しているのに、聞き手が眠っているという状況ほど、スピーカーにとって辛い状況はありません。不安とともに行った授業のあと、

「90分が、一瞬に感じました」

「金曜の夕方の授業なのに、まったく眠くならず驚きました」

という感想がレポート用紙にずらり書かれていて、嬉しさというよりも驚きを覚えました。

私の仕事は、誰も見たいと思っていないCMを、いかにして「見たくなるか」考えることです。そしてプレゼンでもいかに、クライアントに他の会社の案ではなく、自分たちの案が魅力的かを印象づけることが仕事です。働いていて知らず知らずのうちに、聞き手が思わず聞きたくなるような技術を身につけていたのです。

講師として大学で話すようになって、**「聞き手の集中力は、スピーカーの技術による」**と思うようになりました。どんなに面白くない内容でも、伝え方で興味をわかせることや、集中させることができます。いっぽうで面白い内容でも伝え方次第で、相手には平凡に伝わることもあります。

技術は、身につけることができます。学校の先生をはじめ、会議の司会などをする方々が、この伝え方の技術を身につけることができたら、どれだけ授業や会議がもりあがることでしょう。人は伝え方が苦手なのは、仕方ありません。なぜなら、その技術を学ぶチャンスがなかったから。そして今、あなたは知ることができました。

クライマックスをつくれば、
切れかけた相手の
集中スイッチを入れられる。

「強いコトバ」をつくる技術

❶サプライズ法
超カンタンだけどプロも使っている技術

❷ギャップ法
オバマ氏、村上春樹氏も使う心を動かす技術

❸赤裸裸法
あなたのコトバを、プロが書いたように
変える技術

❹リピート法
相手の記憶にすりこみ、感情をのせる技術

❺クライマックス法
寝ている人も目をさます、
強烈なメッセージ技術

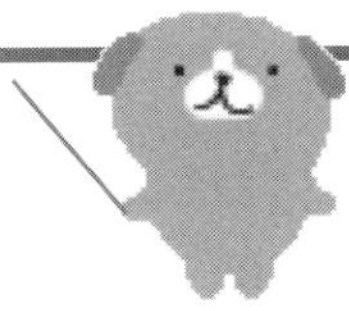

5つの方法を駆使すれば、無限にコトバはできる

――周りの人から「コトバが変わったね」と言われる日

紹介した**「サプライズ法」「ギャップ法」「赤裸裸法」「リピート法」「クライマックス法」**の5つの方法を知ったことは、シェフのレシピ基本5原則を知ったことと同じです。レシピ通りにつくれば、いつでも体調のいい悪いによらず、ふつうの人とは格段に違う、満足いただけるレベルに調理することができます。プロを目指すならもっと修業が必要ですが、そうでないならコトバで一生飽きられることもないでしょう。「コトバが変わったね」と言われることもあるでしょう。なぜなら、いつもの家庭の味がある日突然、シェフの味になったようなものですから。

この本は、誰でもすぐに使えるように構成しています。数ある本の中から選んで買ったあなたであれば、コトバに興味があるはずです。あなたらしいアレンジは、すぐにできるようにな

るでしょう。そうすると強いコトバでありながら、オリジナリティが出てきて、本当の意味でのあなたのモノになります。

さらに言えば、ここにある5つの方法につづいて、6つ目の方法も見つけるときがくると思います。**この本はあなたの宝の地図の切れ端**です。今まで気づかなかった地図の存在にあなたは気づいてしまいました。これを掘り起こしていけば、あなたが人生で感じていた強いコトバはどうやってできていたのかがわかるときもくるでしょう。あなたの中にあるとぎれとぎれだった地図が、一気につながり、ひとつの大きな大地を描くときが来るでしょう。

人間の本能に基づいたコトバはグローバルだ

——どの国でも、どの人種でも使える技術

みなさんが学んだ5つの方法は、小手先の「てにをは」を変えて化学調味料のように表面的に味付けするものではありません。料理の根本から学んだものです。しかも、どれもが人間の本能に基づいたコトバのつくりかたです。

言語が違っても、「サプライズ」があると人はドキドキします。
人種が違っても、「ギャップ」があると人は感動します。
地域が違っても、「赤裸裸」なものに人はひきこまれます。
国が違っても、「リピート」があれば記憶に残ります。
文化が違っても、「クライマックス」に注目します。

つまり、地球上の誰に対してでも、心を揺さぶることができるのです。現に、この本では他国の大統領や小説家のコトバを例に使っています。いよいよ、地球上に本格的なグローバル化がはじまっています。当たり前すぎて、グローバルというコトバさえもなくなるときがくるかもしれません。海外にいる友達やビジネスパートナーと話をしたり、メールをするときにもこの技術を使えば、誰の心だって動かすことができるのです。

10分で「強い長文」をつくる技術

――つまらなそうな長文を、読みたくなるものに変える！超カンタン版技術

「短いコトバをつくるのはわかりました。でも長い文章はどうすればいいのでしょう？」と聞かれることがあります。まずは「時間がない！」というときにできる、とっておきの方法を紹介します。毎日の生活で、メールを書いたり、企画書を書いているときに存分に時間を使えないということもあるでしょう。

そんなときに10分で長文をパワーアップさせる超カンタン版技術をお伝えします。

まず原則、人は長文を読みたくないことを知ってください。あなたも経験でわかると思います。人の長文、読みたくないですよね。ですが、自分の文章となると思い違いをしてしまいます。「わたしのは読んでもらえる」と思ってしまう。いやいや、そうではありません。あなた

の長文も同様に、人は読みたくないのです。

以下に長文があります。

まず、長文というだけで読みたくないですよね。みなさんも全部読まなかったと思います。

ではどうすればいいか、具体的に見てみましょう。

ボランティアしたい方へ。当協会はボランティアの手で支えられています。非営利団体である当協会はヒトの活動が、そのまま組織の活動です。ご協力がダイレクトに動物愛護につながります。ボランティアには、誰でもなることができます。直接動物の世話をするというカタチのボランティアだけでなく、事務の仕事も大切な動物愛護活動です。具体的には、当協会のボランティア活動には以下の内容があります。……

（中略）

……まずは、ご登録いただき、ご要望のボランティアができる活動が整い次第、ご連絡させていただいております。なお、せっかくのご登録ご希望にお応えできない場合がありますので、ご了承ください。ご応募お待ちしております。

ステップ1

先を読みたくなる「出だし」をつくる

どんなに長文が読まれないとしても、読み手は、**出だしの1文だけは読んでくれる可能性が高い**です。料理を全部は食べなくても、味見だけはしてくれるのです。読み手に、味見のとき「先を読みたい！」と思わせましょう。

ここで登場するのが、みなさんの知った「**強いコトバ**」をつくる5つの技術です。どれを使ってもいいです。コツは**極力短いコトバ**になるものを選んでください。

ステップ1

- **1文目に「強いコトバ」をつくる**
- **極力短いコトバを選ぶ**

ボランティアしたい方へ。

↓

そうだ、ボランティアしたい。
と思った方へ。

サプライズで、強いコトバにした

短くするため1文目を切った。1文目はもともと合体していたのを、あえて2つに分けて、短くした

ステップ2　読後感をよくする「フィニッシュ」をつくる

超カンタン版技術として次に紹介したいのが、長文のフィニッシュです。**出だしに使ったものと同じ「強いコトバ」を最後にも使う**のです。こうすることで、書きっぱなしにならず、気が利いた長文にすることができます。

ここでは、確実にまったく同じ「強いコトバ」を使うべきかというと、それでもいいし、ちょっとアレンジしてもいいです。

朝日新聞の天声人語もよく、この技術を使っています。出だしのコトバから内容をひろげ、最後に出だしと同じもしくは、アレンジした

ステップ2

●出だしのコトバを使ってフィニッシュ

ご応募お待ちしております。

↓

「そうだ、ボランティアしたい。」の気持ちを、ご応募へ。

出だしと同じ
コトバをフィニッシュに

コトバで締めることで読後感をよくすることができるのです。

ステップ3 飛ばされない「タイトル」をつくる

超カンタン版の仕上げ、それはタイトルづけです。大量な情報の中から、飛ばされないために、どんな文章であっても、タイトルをつけましょう。

これまでタイトルとは、長文の要約でした。その常識がいまも通用するのは、相手が読まざるを得ない情報のときです。例えば、公文書や、取り扱い説明書のたぐい。

人は99％以上の情報をスキップします。この環境で、タイトルの目的が変わりました。「読んでみよう」と選択されるタイトルです。例えばYahoo!のトップページに出ている情報を、すべてクリックなんてしないですよね。まず「読んでみよう」と思わせるタイトルをつくらないといけないのです。

ここもカンタンです。**「出だし」がよくできていたら、そのままをタイトルに**してしまいましょう。

短いほうが効果的です。長いなと思ったら、**「サプライズワード」＋「出だしの重要ワード」の組み合わせをタイトルにしてみましょう。**より短くすることができます。

Yahoo!ニュースを読まれる方がいると思いますが、その制限字数は半角を含む13・5文字です。短く、一瞬にして選択されるタイトルにしなくてはならないのです。

ステップ3

- **「出だし」がよくできていたら、そのまま　タイトルに**
- **または「サプライズワード」＋「出だしの重要ワード」の組み合わせを入れる**

そうだ、ボランティアしたい。
と思った方へ。　出だしの重要ワード

↓

ボランティア！

サプライズワード

これに沿ってできたのがこちらの長文です。

ほら、こんなに変わるのです。原文と見比べてみてください。たった10分で、読まれる長文になりました。時間のないときには、ぜひ使ってみてください。

> **ボランティア!**
>
> **そうだ、ボランティアしたい。と思った方へ。**
> **当協会はボランティアの手で支えられています。非営利団体である当協会はヒトの活動が、そのまま組織の活動です。ご協力がダイレクトに動物愛護につながります。ボランティアには、誰でもなることができます。直接動物の世話をするというカタチのボランティアだけでなく、事務の仕事も大切な動物愛護活動です。具体的には、当協会のボランティア活動には以下の内容があります。……**
>
> **(中略)**
>
> **……まずは、ご登録いただき、ご要望のボランティアができる活動が整い次第、ご連絡させていただいております。なお、せっかくのご登録ご希望にお応えできない場合がありますので、ご了承ください。**
> **「そうだ、ボランティアしたい」の気持ちを、ご応募へ。**

COLUMN

時間にゆとりのある方には、長文全体を強く！

まず、「10分で『強い長文』をつくる技術」を済ませてください。次に今まで学んだ、強いコトバをつくる5つの方法を、大事なポイントに入れこむのです。長文の中にも、伝えたい箇所がいくつかあると思います。そのキメどころだなと思うところにちりばめて、ぐっと相手の心をつかむのです。

ここでのコツは、**文章の全てに「強いコトバ」をつくる技術を入れこみすぎないこと**です。音楽でいうならば**「強いコトバ」はサビ**。サビを立たせるためにもそこ以外は、ぐっとおさえるのです。曲全体がサビだと、ただうるさい曲にしかなりません。伝えたいポイントに狙いをしぼって、「強いコトバ」を入れこむのです。

「強い長文」のつくりかた

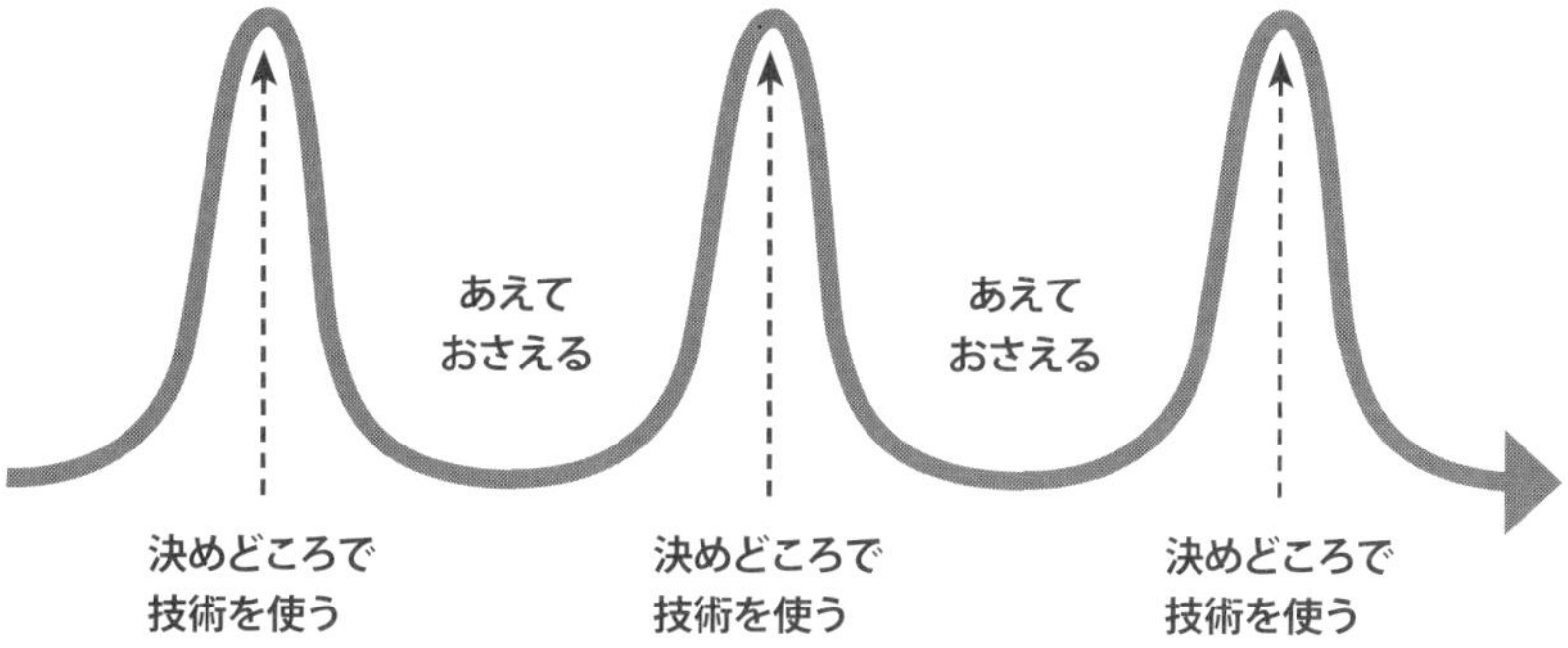
あえて
おさえる
あえて
おさえる
決めどころで
技術を使う
決めどころで
技術を使う
決めどころで
技術を使う

メールは感情30%増量でちょうどいい

——理解すべきは、デジタル文字の冷たさ!

どうすれば、メールを魅力的にできるでしょう?

これも今まで学んできたことの応用でできてしまいます。

メールは、長文のひとつと考えていいです。長文の書き方は前項を参照していただき、ここではメールの特徴と対策を理解してください。知っておいてほしいのが、デジタル文字の冷たさです。

こう比べてみると、同じコトバでもメール文字

メール

宛先：aaaa@bbbb.com

本田様
書類ご確認ください。

手書き

本田さま
書類ご確認ください。

が冷たく感じられるのがわかると思います。デジタル文字だと、温かみや感情がそぎ落とされてしまうからです。もらったメールでもありますよね。「うわ、なんかそっけない」と。でも相手はそんなふうに思わず送っていることがほとんど。

あなたのメールも同じです。あなたのメールは、あなたが思っている以上に、相手に冷たく伝わっていることを知りましょう。

では、具体的にどうすればいいかです。

感情がそぎ落とされるぶん、コトバで感情を30%増しにするのです。これで、手書きと同じレベルになります。具体的には、語尾です。語尾に感情を加えるのです。

書類をご確認ください。

30%増量

書類ご確認くださいっ。

書類ご確認ください！

書類ご確認くださいねーー。

語尾を冷静にしないようにしましょう。何の気なしに語尾を冷静にすると、相手には「怒っているの?」と思われることさえあります。

30％増量すると、以下のようになります。ここではサプライズ法のいちばん基本となる「！」を使ってみました。ただ「！」をつけただけで、左のほうがよっぽど印象に残りますよね。もちろんサプライズ法以外でも、5つの技術どれでも使うことができます。メールは一日に何十通も出すので、**私は短時間でつくれるサプライズ法を多用しています。**

業界により環境の違いはあると思いますが、喜びや感動表現は、どこであったとしても受け入れられやすいもの。ビジネスシーンでも可能でしょう。

私の場合、左下くらいやってしまいます。

文例

才田さま

きのうはごちそうさまでした。
一歩を踏み出すという
考え方に共感しました。

才田さまの話はいつも
深くて勇気をくれます。

チャレンジを忘れずに、
前にすすみたいと思った
夜でした。

佐々木

30％増量

文例

才田さま

きのうはごちそうさまでした！！
一歩を踏み出すという
考え方にほんと、共感しました！！

才田さまの話はいつも
深くて勇気をくれます！！

チャレンジを忘れずに、
前にすすみたいと思った
夜でした！！

佐々木

では、課題です。この本は、実践で使えることが目的なのでこちらをいまやってみましょう。すっごくカンタンな課題です。

課題　あなたがいま返信しなくてはいけない携帯メールを、30％増しで返信してください。

携帯を取り出して、もしくはメールを開いて、返信しなくてはいけないメールに返信してみましょう。まずはいちばんカンタンなサプライズ法を使ってみましょう。「！」を多用してくだ

ちなみに、私の場合は、
このくらい書いちゃいます。

文例

才田さん

サプライズ法

きのうはごちそうさまでしたーー！！
一歩を踏み出すという
考え方があまりにもシンクロして
震えてしまいましたーー！！

赤裸裸法

才田さんの話はいつも
自分が浅くて恥ずかしくなるくらい
深くて勇気をくれます。

ギャップ法

チャレンジを忘れずに、
前に、前にすすみたいと
思った夜でした！！

リピート法

K 1

さい。

はじめ、書いてみると違和感が出ると思います。「私のキモチより、ちょっと強すぎる」と。

確かに、あなたのキモチで言えば30％過剰な違和感があるはずです。ですが、「コトバは相手のもの」という原則から、受け手にとってみると、30％増量でちょうど手書きと同じくらいのあたたかみなのです。ですので、「違和感ＯＫ！」で思い切って書いてみてください。

人を動かすのは、ルールではない。感動だ

――本当に人が動くとき、それは心が動いたとき

大統領選でトランプ氏とクリントン氏が争ったときも、オバマ氏とマケイン氏が争ったとき

も。各候補とも国をよくすることを訴えていました。どんな政策であったとしても、必ず賛成する人とない人が出てきます。政策ではそこまで差がつかないのです。それよりは、つきつめると、どれだけ多くの人を感動させられるかの差でした。アメリカ人は合理的といわれます。選挙活動でも演説ライティングも含めて、どうやって感動をつくるかが綿密に計算されていました。

じわっときたな。

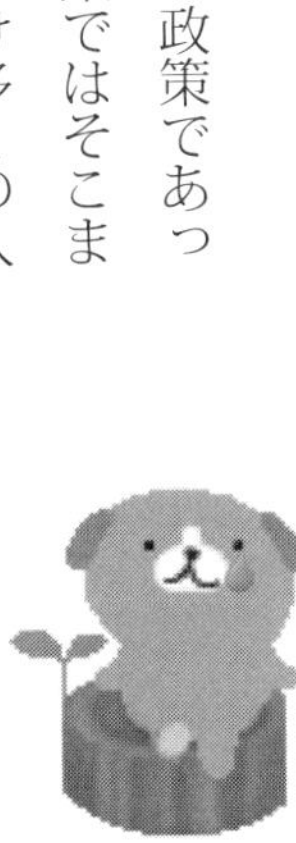

もっと身近なところで考えてみましょう。

会社でもそうです。たとえ同じ企画であったとしてもAさんが話すと通るのに、Bさんが話すと通らないという経験がありますよね。それは伝え方で、心を揺さぶることができるかどうかなのです。

人生にはたくさん分かれ道があります。相手を動かす伝え方を知っているかいないかで、人生の大きなことから、日々の何げないことまで結果が変わります。

いつかどこかで起こる、大勝負だけのためにコトバを磨くのではありません。**たったいま、**

あなたの生きているこの瞬間を輝かせるために、人の心を揺さぶるコトバを知っておいてほしいのです。これから発するひとつひとつのコトバ、書くメールが変われば、相手の反応が変わります。あなたの人生も変わるのです。

　この本の技術を使うと、あなたの想像以上に強い表現ができてしまうことがあるでしょう。愛情を伝えるにしても、嬉しさを伝えるにしても。「いまのキモチより、ちょっといきすぎかな」と思うこともあるでしょう。ですが、それでいいのです。30％増しで嬉しいから、30％増しで表現するのではありません。順序が逆なのです。30％増しで表現するから、あなたに30％増しの嬉しいことが起こるのです。

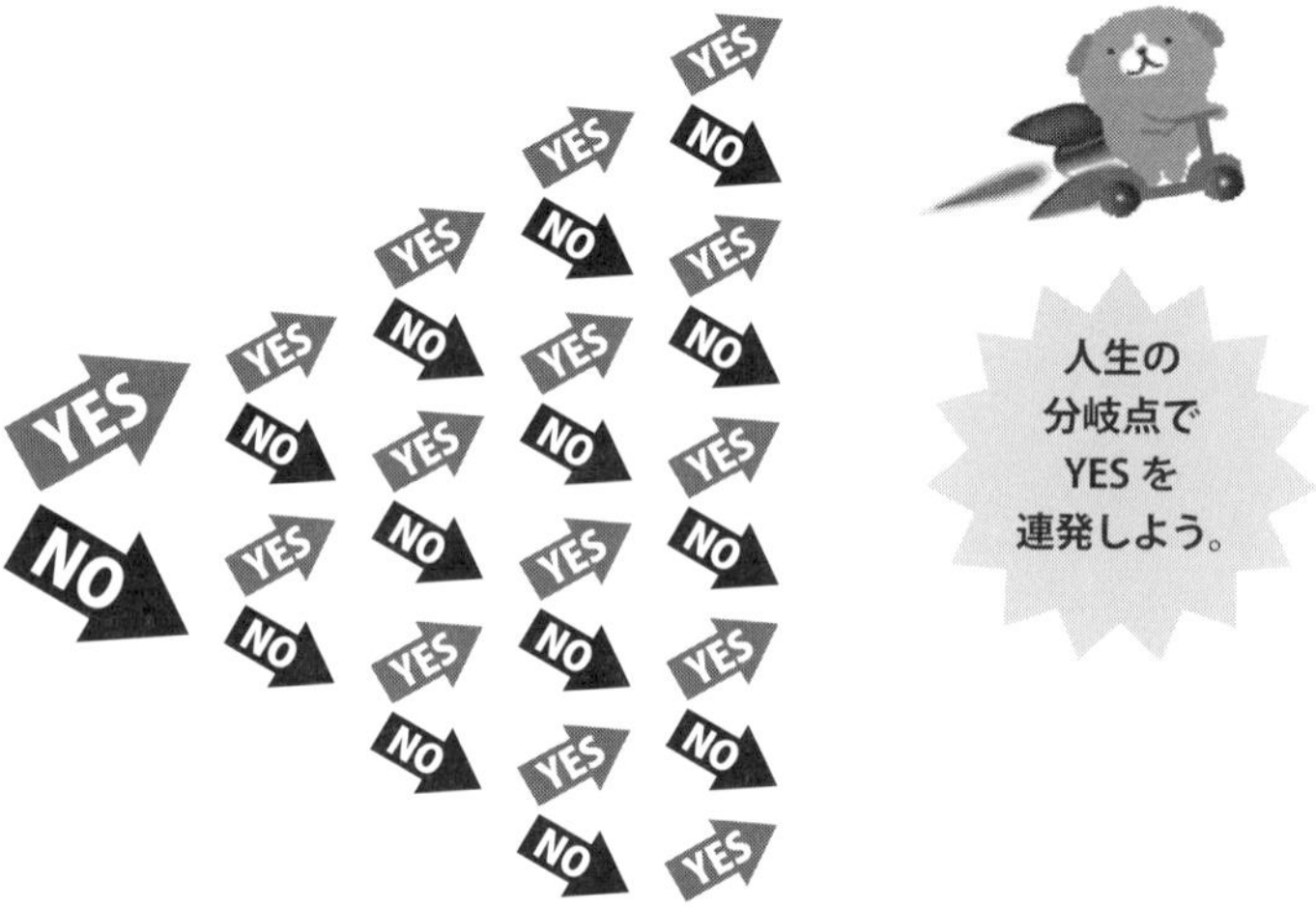

第3章 まとめ

- レシピを知れば、誰にでも強いコトバはつくれる。
- 情報量は、10年前の530倍になり、ふつうのコトバは無視される。
- コトバに高低差をつけると、コトバエネルギーが生まれる。
- 「強いコトバ」をつくる技術
  ①サプライズ法　②ギャップ法　③赤裸裸法
  ④リピート法　⑤クライマックス法
- 長文を10分でパワーアップするには、「出だし」「フィニッシュ」「タイトル」。
- メールは、デジタルの冷たさをなくすためにも、感情を30％増しで。

おわりに

あなたの宝の地図を見つけよう

ここまで読み進めたあなたには、「コトバって、ひらめくのではなく、つくれるんだ」ということをわかっていただいたと思います。世の中の「いいコトバ」は、ただ奇跡的に「いい」のではなく、「いい理由」と「その再現のしかた」があることを体験していただきました。

技術をひとつでも使っていただけること。それだけで、この本の目的は達成できます。でもコトバに興味のあるあなたには、次の宝探しの旅に出てほしいと願います。

私がコトバで昔、苦しんでいたとき

「考えるな、感じろ」

「事件は会議室で起きてるんじゃない！　現場で起きてるんだ!!」

は同じ技術、「ギャップでつくられている！」と発見したように、また別の心を動かすあなたの技術を発見できるはずです。人生の中で出会ってきた、素敵なコトバ。それはただ素敵なだけでなく、理由があるのです。そしてその理由を見つけたとき、再現ができるようになります。あなたの技術となるのです。

そろそろ、お別れのときがきました。

でも大丈夫。既にあなたは「ノー」を「イエス」に変える技術と、「強いコトバ」をつくる技術を手に入れました。まだ世の中の多くの人たちは、その存在さえ知りません。さらに、あなただけの宝の地図の切れ端も見つけました。あとは、動き出すだけです。

でもときに迷うことがあったら、覚えておいてください。いつでも私はあなたの味方です。

あなたの未来が、今まではなんだったんだ？　と思うほど嬉しいことで溢れますように。

体中のうぶ毛が立つような感動が連続する人生を、つくりだそうじゃありませんか。

このページをめくった、あなたの手で。

佐々木圭一

参考文献／参考映像

『レバレッジ・リーディング』　本田直之（東洋経済新報社）
『自由であり続けるために20代で捨てるべき50のこと』
　四角大輔（サンクチュアリ出版）
『冒険に出よう』　安藤美冬（ディスカヴァー・トゥエンティワン）
『コピー年鑑』　東京コピーライターズクラブ（宣伝会議）
『ありがとうの神様』　小林正観（ダイヤモンド社）
『君の名は。』　新海誠（角川文庫）
『欲しい　ほしい　ホシイ』　小霜和也（インプレスジャパン）
『SLAM DUNK』　井上雄彦（集英社）
『本当に頭がよくなる１分間勉強法』　石井貴士（中経出版）
『夢をかなえるゾウ』　水野敬也（飛鳥新社）
『広告コピーってこう書くんだ！読本』　谷山雅計（宣伝会議）
『考具』　加藤昌治（阪急コミュニケーションズ）
『「キャリア未来地図」の描き方』　原尻淳一、千葉智之（ダイヤモンド社）

大学講演〜広告コミュニケーションの基礎〜　小西利行
『大統領選挙　勝利演説』　バラク・オバマ
友人に送ったメール　ジョージ・カーリン
『エルサレム賞』のスピーチ　村上春樹

『アツイコトバ』　杉村太郎（中経出版）

この本をプロデュースしていただいた本田直之さん、土江英明さん、飯沼一洋さん、そして導いてくれた杉村太郎さん。この方々がいなければ、1行としてこの本が書かれることはありませんでした。本当にありがとうございます。

本の印税の一部を、世界の子どもたちの識字率向上に使わせていただくことにしました。コトバを手に入れることで、子どもたちには学校に行ったり職を手に入れるチャンスができます。

小さい頃にコトバを学んだかどうかで、人生がまるで変わるのです。識字率が低い地域の小学校を通して、アルファベット表がひとりひとりに配られます。この本を買ったあなたも、インドネシアをはじめとした子どもたちに、コトバをプレゼントした一人です。

［著者］
佐々木圭一（ささき・けいいち）
コピーライター/作詞家/上智大学非常勤講師
上智大学大学院を卒業後、博報堂を経て、株式会社ウゴカスを設立。新入社員時代、もともと伝えることが得意でなかったにもかかわらず、コピーライターとして配属され苦しむ。ストレスから１年で体重15%増、アゴも無くなる。あるとき、伝え方には技術があることを発見。そこから伝え方だけでなく、人生がガラリと変わる。本書は その体験と、発見した技術を赤裸裸に綴ったもの。
本業の広告制作では、書籍『スティーブ・ジョブズ』に出てくる伝説のクリエイター、リー・クロウのもと米国で２年間クリエイティブに従事。日本人初、米国の広告賞One Show Designでゴールド賞を獲得。カンヌ国際クリエイティブアワードでゴールド賞他、計６つ獲得など国内外５５のアワードに入選入賞。シェラトンホテル、アサヒビール、福岡県などのクリエイティブディレクターとして活躍。広告以外には、郷ひろみ・Chemistryの作詞家として、アルバム・オリコン１位を２度獲得。カンボジアの小学校に図書室を設立、64の小学校にアルファベット表をプレゼントなど、世界の識字率向上に貢献。上智大学非常勤講師として人気。「日本人のコミュニケーション能力のベースアップ」に貢献することをライフワークとしている。

佐々木圭一公式サイト: www.ugokasu.co.jp

www.facebook.com/k1countryfree
Twitter: @keiichisasaki

伝え方が９割

2013年２月28日　第１刷発行
2017年３月６日　第29刷発行

著　者——佐々木圭一
発行所——ダイヤモンド社
〒150-8409　東京都渋谷区神宮前 6-12-17
http://www.diamond.co.jp/
電話／ 03･5778･7236（編集） 03･5778･7240（販売）
装丁————水戸部功
本文デザイン･DTP— 中井辰也、藤田文子
イラスト—— 今日もわんパグ　http://www5.ocn.ne.jp/~wanpagu/
撮影————石郷友仁
製作進行——ダイヤモンド・グラフィック社
印刷————ベクトル印刷
製本————ブックアート
プロデュース— レバレッジコンサルティング株式会社
編集担当——土江英明

ISBN 978-4-478-01721-0